100%得(トク)する話し方

99%の人が
知らずに損してる、
好かれる話し方・
嫌われない話し方
のコツ

新井慶一
Arai Yoshikazu

すばる舎

【はじめに】99パーセントの人は、会話で損しています

この本を手に取った方は、おそらく日頃の会話になんらかの不安や不満を抱えている人ではないかと思います。

例えば、

（自分は話下手だから、人生がうまくいかない）

（あの人のようにうまくしゃべれないから、自分は評価されない）

（自分が話す番は、なるべくこないほうがいい。面白いことなんて言えないから）

いっぽう、こういう人もいるかもしれませんね。

（ついしゃべりすぎて、いつも相手が引いちゃう。どうしたらいい）

（自分では面白いと思ってしゃべっていたのに、全然面白くないと言われた）

（話は私のほうがうまいのに、なぜかあの人のほうが好かれる）

はじめに

そんなみなさんに、朗報です。

この本を読んでくださったみなさんは、金輪際（こんりんざい）、そういうことで悩まなくてすむようになります。

相手が同僚であれ、顧客であれ、友達であれ、彼氏彼女であれ、会話に悩むことはなくなります。

そして、この本を読み終える頃には、「なんだ！　会話ってそんなに簡単なことだったのか！」と、気がラクになっているはずです。

ただ、本論に入る前に、まずみなさんに、知ってほしいことがあります。

それは、

世の中の99パーセントの人は、会話で損をしている

という事実です。

なぜ、そんなことが言えるのか？

99パーセントの人は会話をするときに、相手の話をまったく聞いていないからです。

「いや、そんなはずはない」
「自分は、人の話を聞くことをモットーとしている」
「会社でも、家でも、自分ほど人の話を聞いている人はいない」

そういう思いを持つ人も少なくないでしょう。

でも、ちょっと待ってください。


みなさん、会話をしているときに、**「本当に」**相手の話を聞いていますか？

例えば相手の話を聞きながら、「自分の番になったらどうしよう」とか「自分が話すときには何を話そう」とか、自分が話すことばかり考えていませんか？

そんなとき、**「相手の話はまったく耳に入っていない」**のではないのでしょうか。


そうなのです。

世の中の99パーセントの人は、「人の話を聞いている」と言いながら、実は、

「自分が話すことばかり考えている」

のです。

その証拠に、会話が終わったあと、**相手と何を話したか詳細に覚えているる人はほとんどいません。**

そして、いつも心のなかでは、

「少しでも自分をよく見せたい、よく思ってもらいたい」

と考えているのです。

ただ、この思いを持つのはあなただけではありません。

会話の得意な人、下手な人、男性、女性、若い人、年老いている人……みんなが持っている共通の思いなのです。

のべ8000人以上にコーチングをしてきた私の経験上、「本当に相手の話を聞いている人」は、せいぜい100人に1人くらいしかいません。いや、1000人に1人と言っても過言ではないでしょう。

だからこそ「99パーセントの人は話を聞いていない」と断言するのです。

そして、ここにこそ、チャンスがあります。

世の中の99パーセントの人は、自分が話すことばかり考えている。

裏を返せば、**相手の話を「本当に」聞くだけで、あなたはとても重宝がられる存**

在になるのです。

しかし、ここでまた疑問が生じます。

「世の中に、人の話を聞くことの重要性を説いた本はいっぱい出ているよ。それらと何が違うの？」

という疑問です。

これについては、ズバリお答えしましょう。

世の中の99パーセントの人は、話の「聞き方を間違っている」ということです。

「うん？『話の聞き方が間違っている？？』。言っている意味がよくわからない」

はい、その通りだと思います。ですので、詳しく説明しますね。

本書でお伝えしたいこと、それは、

聞き手であるあなたが「会話の舞台から降りて」相手に9割話をさせること。

これに尽きます。

「会話の舞台から、降りる??　やっぱり意味がわからない」

そう思うのも無理はありません。

しかし、この「**会話の舞台から降りる**」という考え方こそが、**私の提唱する、「100%得する話し方」のキモなのです。**

さっそく見ていきましょう。

◎「話をしない」よりも「話を振らせない」ほうが重要

さて、「100%得する話し方」をうまく進めるために必要なこと、それはたったの3つです。

①　絶対に自分に話を振らせない
②　相手に9割、話させる
③　相手に気持ち良くなってもらう

いかがでしょう。簡単でしょう？

あまりに簡単すぎて、拍子抜けした人がいるかもしれませんね。

しかし、よく考えてみてください。

最初のステップである**「絶対に自分に話を振らせない」は意外と難しいものです。**

なぜなら、**基本的に人は、「話したい生き物だから」です。**

どんなに話すのが苦手な人でも、ずっと、ずっと相手の話を聞いているのはつらいし、つまらない。

そして、どんなに話さないようにがんばっても、一度話を振られると最後、そこから雪崩のごとく話してしまうという人は結構いるものです。

そこで、**「会話の舞台から降りる」という考え方が重要になってくるのです。**

では、どうすれば「会話の舞台から降りられるのか」。

人は、誰かと話をするとき、1対1であれ1対多数であれ、無意識のうちに相手と同じ舞台に立って話をしています。

この意識を変えるのです。

つまり、**相手より自分自身を一段下げて話をすることを意識するのです。**

漫才コンビで言えば、相方を舞台でしゃべらせておいて、自分は舞台から降りて、相方にスポットライトを当てる、そんなイメージです。

そうすることで、聞き手であるあなた自身は「無」となり、相手の話を「本当に」聞けるようになります。

9割の人は
舞台に上がって話したいと思っている

会話の舞台から降りて話を聞ける人は貴重な存在

◎「人はあなたの話にまったく興味がありません」

私がこのことに気づいたのは、サラリーマンをやめ、フリーランスになってしばらくしてのことでした。

私は小さい頃から口下手で、友達は大学を卒業するまで1人しかできなかったほど内向的な人間でした。

苦労して入った会社では、人と会うのが怖すぎて営業先に行けず、年間契約数はたったの3件。しかもその3件は、1ヶ月目にビギナーズラックでとれたものでした。

2ヶ月目以降は、まったく契約がとれず、毎日日報に「全部断られました」と書いて提出するくらいヤバい社員でした。

そんなダメ社員だったので、ほどなくしてその会社はクビ。

そのあと、健康ランドのゲームセンターの管理人、深夜の仕分けの仕事、IT企業の営業など様々なことをやりましたが、いずれも長続きせず、結局、軽度のうつを発症してフリーランスという道を選ばざるをえなくなりました。

ところが、フリーランスになって出合ったある本の、ある一行で私の人生は激変します。

それは、

「人はあなたの話にまったく興味がありません」

という言葉でした。

繰り返しますが、私はかなりの対人恐怖症でした。

とにかく人と会うのが怖い。

いや、人と会うのが怖いなんて生易しいものではなく、営業先に行って会社のドアノブさえ触れないほどの人間嫌いでした。

そんな状態でしたから、ドアノブに触ったとしても、ビビッと電流が走ったように手がしびれて訪問先に入れない。それくらい人と話すのが嫌な人間でした。

ですから、「人生がうまくいかないのは、人とうまくしゃべれないからだ。人とうまくしゃべれない自分はダメ人間で、芸人さんのように話が面白くないと誰も話を聞いてくれないんだ」と思い込んでいました。

しかし、その本の「人はあなたの話にまったく興味がありません」という一文に衝撃を受け、会話というものを徹底的に研究することにしました。

そして気づいたのが、「**自分に話を振らせなければ、相手がしゃべるしかない。相手が9割しゃべってくれれば相手の話を『心の底から』聞くことができる**」ということでした。

◎人生を変えたければ、相手に9割話させなさい

私自身、この「相手に9割話させる話し方」をするようになってから、それまでと180度変わった大逆転人生がはじまりました。

まず、誰もが知っている有名人のコーチングを次々頼まれるようになりました。

そして、その人たちがさらに成功したことで、口コミで仕事が増えていき、私のコーチングや講座を受けて起業した人、転職した人が大飛躍を遂げました。

いくつか例をあげると、

・小売業の分野で初月売上ナンバーワンの記録を樹立
・一部上場企業の役員に大抜擢
・一度も異性と付き合ったことのない人が、何人もの成功者からプロポーズされる人気者に
・会話術を学び始めて、売上がすぐに4倍に
・子連れ生活保護状態から、ママのためのシェアハウスを運営するまでに
・バツイチ子持ちの独身女性がアプローチされすぎて困る状態に

など、たくさんの人たちが、自分の夢をかなえていきました。

そして、私自身「相手に9割話させる話し方」を教えることで、さらにメソッドに磨きがかかっていきました。

こうして「話し方」で人生の大逆転を果たし、多くの人を成功に導いた私だからこそ言えることがあります。それは、

聞き手であるあなたが「会話の舞台から降りて」、相手に9割話をさせること。

これだけで、人生は確実に変わります。

このメソッドは、口下手の人も、話上手の人も関係ありません。

「会話の舞台から降りて、相手に9割話させる話し方」（＝「得する話し方」）をマスターするだけで、相手はあなたに感謝し、あなたのために一所懸命動いてくれる

ようになります。

結果、あなたは仕事、お金、人間関係、恋愛、人生……すべてにおいて得することができます。

最近では、実際に会うだけではなく、電話やオンラインでの会話も増えてきました。

「得する話し方」の極意「相手に9割話をさせ、相手に気持ち良くなってもらう」は**オンラインでも有効なメソッドです。**

ぜひ楽しみながら、実践していただけると嬉しいです。

私の人生が突然大逆転モードに入ったように、本書を読んでみなさんの人生もどんどんハッピーになって、たくさん笑顔が増えるように心から願っています！

新井慶一

『100%得する話し方』　もくじ

第1章 なぜ「自分のこと」を話してはいけないのか？

第2章 話し方で得する人、損する人

第3章 まずは「合いの手」をマスターする

第4章 リアクションができると、話はこんなに盛り上がる

第5章 聞きたいことが100%引き出せる魔法の質問術

第6章 実践！「100％得する話し方」

カバーデザイン：小口翔平＋喜來詩織（tobufune）
DTP&図版　：朝日メディアインターナショナル
イラスト　：久保久男
執筆協力　：佐藤友美
編集　　　：越智秀樹・美保（OCHI企画）

第1章

なぜ「自分のこと」を話してはいけないのか？

コミュニケーション下手な人は、「話し方が悪い」のではなく「自己肯定感が低い」だけ

◎自己肯定感を高めれば、自然とコミュニケーションはうまくなる

具体的な話に入る前に、みなさんが気になる

①　どのようにして「100%得する話し方」が生まれたのか

②　「100%得する話し方」をマスターすると、どんないいことが起こるのか

についてご紹介しましょう。

まず私のプロフィールからいきますね。

【10代】友達が1人しかいない極度の人見知り
【20代】ヤサグレニート
【30代】ダメリーマン
【40代】笑う社長

いかがでしょう。かなりのダメダメ感が漂(ただよ)っていますね(笑)。

今、私は46歳なのですが、40歳までまったくのダメダメ人生を送っていました。

そしてその原因の9割は、極度の人見知りと話下手にあると思っていました。

今でこそ、初対面の人に「昔、人見知りだった」という話をすると、「ああ、人見知りですか。今はそんなことないのでしょう」と、軽く流されてしまうのですが、40代に入るまでの私の人見知り度合は筋金入りでした。

例えば、大学時代は「学校に行って誰かと会うのが面倒」という理由で、ほとんど講義にも出ず、部屋にこもってゲームと漫画をむさぼる日々でした。

2度チャレンジした接客のアルバイトは、コミュニケーションが原因で2度とも初日でクビとなりました。

仕方ないので、人と話さなくていいアルバイトで小銭を得ていました。

今振り返ると、私の問題は、「話し方」ではなく「自己肯定感の低さ」にあったと思います。しかし当時はすべて「話し方に原因がある」と思い込んでいました。

そんな私にとって、人と会って話をするということは、道を歩いているといきなりモンスターが出てくるのと同じくらい恐怖の時間でした。

子どもの頃は大人たち全員が、

「こいつをどうやってハメてやろうか」

「こいつのダメなところってここだよね」

と、考えているように感じました。

大人になってからは、

「きっと今この人は、僕のダメなところを見て、心のなかでため息をついているのだろうな」

「もしこの人と口をきいて、僕がとるに足らない存在だとバレてしまったら、『なんだ、こいつ』と思われるかもしれない」

とすら思うようになっていました。

今考えると、自意識過剰もいいところですが、当時は自分の内向的な性格が諸悪の根源だと思っていました。

こんな男にとって、会社は生き地獄です。

「はじめに」でも少し触れましたが、新卒で入った会社では、人と会うのが怖すぎて営業に行けず、年間でとれた契約数は1ヶ月目の3件だけでした。

残りの11ヶ月は人と会うのが怖くて、毎日マクドナルドでモーニング（朝食）を食べたら、パチンコに行って時間をつぶしていました。

当然、1年後には会社から、「もう来なくていい」とクビを言い渡されました。

その会社をクビになってからは、家に引きこもってゲーム三昧。ニートのはしりでした。

その後、人とあまり話さなくていいという理由で、健康ランドのゲームセンターのバイトをしたかと思えば、女性の家に転がり込んで、ヒモ同然の生活をしていたこともあります。

そんなある日、私の状態を見かねた親友のお父さんから、深夜の配送のアルバイトを勧められました。いわゆる仕分けの仕事です。

この仕事は、私にとって天国ともいえる仕事でした。

誰とも話さなくていいし、仕分けが少ないときは、1時間で仕事が終わります。あとは控室でぼーっと時間をつぶせばいいのだから最高でした。

そこに集まってくるバイトの面々も、特殊で変な人ばかりでした。

どの仕事も短期間でクビになって流れついてきた男性、若いけど病気持ちでやる気なさすぎの青年、ギャンブル依存症の大卒さん、警備員のバイトをクビになったおっちゃん、などなど。

もちろんそのメンツで話が弾むわけもなく、時間がきたらみんな即行で家に帰っていきました。

そんな具合でしたから、日々昼夜が逆転した生活で、遊ぶ友達もまったくいませんでした。

しかし、あるとき「ここに長くいるのは良くない」と直感的に思った私は転職することを決意します。

一念発起して、家電量販店に勤めることにしたのです。

しかし、ここでも人付き合いがうまくいかず、苦しくなった私はまた転職を考えるようになります。

「そろそろ辞めようかな……」

そう思った矢先、母の友人からとある会社のエンジニア部門を紹介されました。

そこでは入社するとプログラミングの仕事をすることになっていたのですが、もともと文系学生だった私は、プログラミングの知識も経験もまったくありません。

しかし、

「人とまったく話さなくていい仕事だから」

と説得され、入社することにしました。

「人とまったく話さなくていいなら、プログラミングの技術くらいがんばって身につけよう」

そう決意し、入社までの間、猛勉強をして、準備をしました。

今考えれば、努力の方向性を間違っていたような気もしますが、それくらい、私にとって「人と会話しなくてすむ」ことは、重要なことだったのです。

努力の甲斐があったのか、その会社には10年以上いることができました。

ほとんど人と話す必要がなく、黙々とパソコンに向かっていればいいだけでしたので、私の性分に合っていました。

しかし、ささやかな幸せはそう長くは続きません。

なにぶん私のようなプログラミング素人をうっかり雇ってしまうような会社です。

気づけば業績不振に陥っていて、私は営業部門に配置換えされることになりました。

そう、新卒でクビになったときと同じ職種、営業に逆戻りしたわけです。

「営業なんてできるわけがない」

そう思いつめた私は、配属が変わることでうつのような状態になってしまいました。

そんなある日、私の人生にとって一大転機となる、一つの出会いが訪れます。

あの仕分けの仕事で一緒だった先輩に、街でばったり出くわしたのです。

◎人生はお化け屋敷と同じ。明かりを灯せば怖くない

その先輩の名前は、川野さんと言います。あの深夜の仕分けの仕事で一緒だった人でした。

最初、川野さんから声をかけられたとき、誰だかまったくわかりませんでした。というのも、私の記憶にある川野さんとあまりにかけ離れていたからです。

私のイメージにある川野さんは、ボロボロのおっさんでした。会話のないあの仕事のメンバーのなかでも最も冴えない、いわゆる最上級のダメおっさんでした。

なのに、

「お！　新井ちゃん」

と声をかけてきたその人は、信じられないくらい神々しかったのです。

「川野さん、今、何してはるんですか？」。私が声をかけると川野さんは、「マネー

セラピストしてるんや」と言いました。

頭のなかが「？？？」だらけだった私は、さらに質問をしました。

「マネーセラピストって何ですか？」

すると、川野さんは「新井ちゃんも受けてみいへんか？」と聞いてきたのです。

川野さんのあまりの変貌ぶりに驚いていた私は、何だかよくわからないけれど、彼のマネーセラピーを受けてみることにしました。

※

後日、川野さんに指定されたノボテル甲子園（現ホテルヒューイット甲子園）に行きました。

ホテルのラウンジに入るのは生まれて初めてでしたので、内心とてもドキドキしていました。

そして、そんな緊張ＭＡＸの状態のなか、私は今でも忘れることができないあるひと言を川野さんから言われます。

「新井ちゃんは今、夜道を歩いているようなもんや。でも、夜道でも街灯で照らされたら怖くないだろう。はっきり見てしまえば、楽になるで。お化け屋敷もそうやろ。よう見たら、大学生がバイトしてるだけやで」

衝撃でした。

（そうか、自分で勝手にビビッとったんやな。僕がビビッてたのは、本当のお化けじゃなくて、ただのお化け屋敷だったのかもしれない）

ただ、衝撃的だったのはこのひと言だけで、あとはお金に対してのアドバイスもないただのセッションでした。

しかし私は、不思議と騙（だま）された気になりませんでした。

なぜなら、同じ人間でも見違えるほど変われることを見せてもらえたことで、私にも根拠のない自信のようなものが芽生えてきたからです。

私はすぐさま川野さんに、「このセッションのやり方を教えてほしい」とお願いしました。

そして、毎月2回のペースで、川野さんのセッションを受けました。

しかしセッションでは、相変わらず彼から特別なアドバイスがあるわけではありません。

ただ、いつも私の話を熱心に聞いてくれた川野さんは、どんなことにも「ほー！へー！」と心のこもった相槌（あいづち）を打ってくれました。

そして、話のたびに「すごいなあ、新井ちゃんは」と言ってくれるのです。

口下手で人が怖かったはずの私ですが、最後は川野さんに、過去の出来事、家族の話や、今感じていることなど、何でも話すことができるようになりました。

川野さんが真剣に話を聞いてくれるだけで、「生きている！」という気がしました。

今思うと、「得する話し方」の原点は、川野さんとのセッションで培（つちか）われたのかもしれません。

人は「あなたが真剣に話を聞いているかどうか」だけを見ている

◎人間は、「自分の話を聞いてくれる人」に興味を持つ

とはいえ、人生、そう簡単にうまくいくものではありません。

会社の配置転換で就いた営業の仕事のほうは、さっぱりでした。

プログラマー時代にはほとんど不要だった、他の社員との交流に戸惑い、気を遣いすぎて、頭がおかしくなりそうでした。

そして、実際におかしくなってしまった私は、本格的にうつ病にかかり休職してしまったのです。

川野さんとの出会いで、少しはまともに話ができるようになったかと思っていた私ですが、人生甘くありませんでした。

そこで、休職中に、カウンセリングの勉強をしたり、セラピストのレッスンを受けることにしました。

いつか営業職をやめ、独立する。それだけが、私の生きる希望でした。

そして、会社に認められる休職期間が終了することを契機に、フリーランスになることを決断しました。というか、これ以上休むことができなくなったためフリーランスになるしかなかった、というのが本当のところです。

しかし、この決断は浅はかなものでした。

もともと口下手で、人見知りの私が、フリーランスになったからといって急に話がうまくなるはずがありません。

むしろ、サラリーマン時代より、自分で話して売り込みしなくてはならない分、大変でした。

フリーランスの世界では、「自分で営業できない」＝「死」です。

私は必死で話し方の本を読み漁り、セミナーを受講しました。

しかし、自分でも笑えるほど結果が出ません。


あまりにひどい状況が続くなか、私はあるとき、ふと（どうやら自分が選んだ道を進むと失敗するようだ）ということに気づきました。

私は100パーセントの確率で間違った道を選んでしまう人間だったのです。

そこで思い切って発想を転換することにしました。

（どうせ負け続けの人生なのだから、一度、自分がやらないほうがいいと思っていることをやってみたら、どうだろう）

そこで、手はじめに、これまで読んだことのないタイプの本を読んでみようと思いたちました。

それまで翻訳もののビジネス書を一度も読んだことがなかった私は、中身も確認せず書店で翻訳ビジネス書を買いました。

そしてこの翻訳書を読んだことが、私の人生を大きく変えます。

そう、「はじめに」でも触れたあの一文です。


「人はあなたの話にまったく興味がありません」


ええええええええ！　うそやろーーーーー！！！！

今でもそのとき受けた衝撃を、はっきり覚えています。

まるで真冬の滝に打たれたような、稲妻を全身で浴びたような、まさに信じられない一文でした。

しかも、続けて書かれていたことに、もっと大きな衝撃を受けます。

「人は、自分の話を相手が真剣に聞いているかどうかだけをひたすら見ている」

うそやろ。誰か嘘だと言ってくれ。

それまでの私は、会話の相手が、自分の話を聞いてジャッジしているとばかり思っていました。

私の話を聞いて、

「新井はできる男かどうか？」

「やる気があるかどうか？」

「まともな大人かどうか？」

をジャッジしている、そう信じてきました。

なのに、私の話をまったく聞いていないとは！

もう驚きを通り越して、呆然(ぼうぜん)とするばかりです。

（僕の社会人になってからの十数年は何だったんだろう……。相手は自分の話に1ミリも興味がないのに、どう思われているかばかり気にして自分の人生を棒に振ってきた。ピエロのなかのピエロ。キングオブピエロじゃないか……）

しかし、そう思った瞬間から、すごく楽な気持ちにもなりました。

（もしこれが本当だったら、気が楽だ。だって誰も私の話なんて聞いてないんだから。自分のほうから必死に話さなくてもええんや）

そう思った瞬間から私の人生は、逆ジェットコースターのように、猛スピードで上昇し始めました。

相手が話し切るまで、自分の話は一切しない

◎「自分の話」よりも「相手の話を全身全霊で聞く」ほうがラクでお得

人は相手の話に1ミリも興味はなく、自分の話を聞いてほしい生き物なのだと知った私。

それからというもの、「聞く」という言葉を超越するレベルで、**「全身全霊で相手の話を聞く」技術を身につけることに専念しました。**

「自ら会話の舞台を降りて相手にスポットライトを当てる傾聴」も、こうして身につけた技術の一つです。

相手が話し切るまで深く聞き続け、自分の話は一切しないというルールを自分に課しました。

そして、あるとき人生で初めて自分の「口下手」が役立っていることに気づきました。

自分が話すくらいなら、相手にスポットライトを当てながら全力で聞くほうが私にとって楽ちんだったからです。

自分が苦労してしゃべろうとしていたときは、まったく集客できなかったのに、「しゃべらない」と決めた途端、次から次へと紹介客がやってきます。

今まで、

「自分の話ほどつまらないものはない」

「自分の話なんかしてもしかたがない」

と思いながら、人との会話を避けてきたことにまったく意味はありませんでした。

04 相手が自分の話を「聞いている」と思うから失敗する

◎「人は、他人の話にパーフェクト上の空」

会話の極意に気づいてから、私はあらゆる人を観察してみることにしました。
そして、とても興味深いことに気づきました。
ひと言で言うなら、

「人は、他人の話に対してパーフェクト上の空」

これに尽きます。

なかには、「いやそんなことないよ、僕は人の話を聞いているよ」と言う人がいるかもしれません。

しかし、私が観察する限り、本当に人の話を真剣に聞いている人は、100人に1人、いえ1000人に1人のレベルです。

私の知り合いを見渡しても、数人しかいません(そしてその数人は、例外なく大成功しています)。

ほとんどの人は、一見相手の話を真面目に聞いているようで、頭のなかでは、自分の話したいこと、話さなければならないことばかりを考えているのです。

例えば、相手が何かを話している最中、こんなことを考えていませんか?

「あー、この人、テニスが得意なんだ。ひょっとしたら共通の友人がいるかもしれない。あとで聞いてみよう」

「このへんで、自分のこともアピールしておこう。どの話が一番刺さるかな〜」

「自分に話を振られたらどうしよう。何か面白いこと言わなきゃ」

などなど。

このように、人は相手の話を聞いているようで、実はあまり聞いていないのです。

もっと言うと、**人は人の話を聞きながら、「次に自分は何を話そうか」しか考えていません。**

これは、話好きの人も、話下手の人も同じです。

話好きの人は、「自分が持っている話題のどれを話せば盛り上がるか」と考えていますし、話下手の人は「話を振られたらどうしよう」ばかりを考えています。

だから、**「人は人の話に、パーフェクト上の空」**なのです。

より正確にいうと、**人は基本的に自分の聞きたいようにしか相手の話を聞いていないのです。**

ですから、自分の話を真剣に聞いてくれる人がいたら、その存在は神々しいほど光り輝くのです。

パーフェクト上の空の人 VS 自分の話に必死な人

人は相手の話を聞いているようで聞いていない

05

「自分は話がうまい」と思っている人ほど危ないのはなぜ？

◎しゃべらない人が「話が面白い！」と言われるのはなぜだろう？

全身全霊で相手の話を聞くと、人はどれだけ神だと思われるか。そんなことを感じたエピソードをご紹介します。

あるとき、私の生徒さんが、一人の女性を連れてきました。

ここではOさんとします。

当時、Oさんは30代後半でした。

彼女は、

「これまで一度も男性と付き合ったことがありません。新井さん、何とかなりませんか」

と相談してきました。

私は、彼女と話してすぐに、男性と付き合ったことがない理由が見えてきました。

自己主張がとても強い。

いわゆる「しゃべりすぎる人」でした。

私のコーチングは、具体的なアドバイスをするものではなく、相手が自分で言った言葉を繰り返すという手法をとります。

ですから彼女に、「男性と付き合ったことがない理由は何だと思いますか？」と聞いたところ、本人から「自分はしゃべりすぎていると思う」「自己主張しすぎていると思う」という言葉が返ってきました。

そこで私は、２ヶ月後のセッションまで、「話しすぎないことを意識して過ごしてみましょうか」とフィードバックしました。

さらに、具体的な努力目標を、彼女自身に決めてもらいました。

そこで彼女は「これまで9：1の割合で自分がしゃべっていたのを、1：9の割合にする。9割は相手の話を聞く！」と宣言して、帰っていきました。

それから2ヶ月後、なんと彼女は2人の男性に求婚されたと言うのです。

なんと2人もです!! しかも、「お付き合い」からではなく「プロポーズされた」と言うのです。

びっくりしませんか？ アドバイスした私自身もびっくりしました。

しかし、彼女に話を聞くとやっぱり特別なことをしたわけではなく、自分の話す割合を変えただけ。

9：1でしゃべっていたのを、1：9にすると意識しただけ。

つまり、**会話の舞台から降りて、相手にスポットライトを当てるようにしただけです。**

それだけで、30年以上誰ともお付き合いしたことなかった彼女が、わずか2ヶ月で2人の人にプロポーズされたのです。

「相手の話を聞く」って、本当に大事なんだな、ということをこのときしみじみ思いました。

ただ正直な話をすると、おそらく彼女の話は1：9にはなっていなかっただろうと思います。

どんなに強く意識してもやっぱり、5：5か4：6くらいの割合だったことでしょう。

しかしそれでも、人生は変わるのです。

せっかくなのでもう一人、事例を紹介しましょう。

この方は、40代女性で、フリーランスのお仕事をされていました。

彼女は、私の会話術セミナーを受けた数ヶ月後、悩みに悩んでいた子連れ離婚を決断できたという報告をしてくれました。

「新井さんのおかげで、やっと離婚できました」

「え？　離婚ですよね？」

最初は私も驚きました。

しかしよくよく話を聞いてみると、

「これまで夫と離婚したくても、その後の生活や子どもの養育費のことを考えると、なかなか踏み切れなかった」

とのこと。

しかし、「得する話し方」を試してみたら、それだけで次々と男性からアプローチをされるようになったのだとか。

最近は、男性からのアプローチが増えただけではなく、仕事相手からも「あなたは信頼できる」と、どんどんオファーがくるようになったそうです。

「これなら離婚しても、再婚相手に困ることはなさそうだし、何より仕事がなくなる心配はなさそう」

と彼女は、笑顔でご主人に離婚届を突きつけたそうです。

彼女もOさん同様、「話しすぎてしまう」タイプの人でした。
場を盛り上げるのも笑いをとるのもうまいので、ついつい、自分が場の主役になってしまい、話相手と同じ舞台に上がっていたそうです。

しかし、そんな彼女が舞台を降りて話相手にスポットライトを当てるようになった途端、

「○○さんは、本当に話が面白いですねぇ」

と言われるようになったと言います。

つまり、自己主張をしなくなっただけで、仕事先に、「○○さんだったら安心して任せられる」と言われる（＝得する）ことが増えたのです。

06

あなたは自分から舞台に立つタイプか？ 観客席でスポットライトを当てるタイプか？

◎結局、会話の舞台から降りて、照明を当てる人が一番得をする

私は先に、99パーセントの人は、人の話を聞かず、自分が何を話すかばかりを考えていると言いました。

これは、たとえて言うなら、**全員が舞台にのぼってセリフを言おうとしている状態なのです。**

しかし、ここで考えてみてください。

自分のことを話したい人すべてが舞台にのぼってしまったとしたら、果たして誰が演技を見るのでしょうか？

誰が舞台上の人に照明を当てるのでしょうか？

誰もが話したい、あるいは話さなきゃいけないと思っているいっぽう、誰かが観客になり、誰かがスポットライトを当てる必要があります。

その役をあなたが買って出たとしたら……。あなたが観客席からステージに向けてスポットライトを当てる役を演じてみたら……。

そう、ステージ上の役者たちは、みんな観客席にいるあなたに向かって必死に演技をし始めます。

つまり、**多くの人が舞台に上がりたがっているからこそ、自ら舞台を降りて役者にスポットライトを当てる照明マンが際立つのです。**

そして、私が見るところ、舞台の上に立ちたい人のほうが圧倒的に多い。どんなに見積もっても、9割の人は舞台の上に立ちたい人なのです。

そこで、あなたが9割の人と逆のことをやる1割の人になればどうなるのか？

人は、自分にスポットライトを当ててくれる人に向かって大事な話をします。

人は、自分にスポットライトを当ててくれる人を好きになります。

そして、その人に恩を返したい気持ちになります。

これを心理学では、**「返報性の原理」と呼びます。**

つまり、あなたが、相手を持ち上げ輝かせようとすればするほど、相手もあなたを勝手に引き上げ評価してくれるのです。

自分は何もしていないのに、なぜだか得する。

これが、「100%得する話し方」の神髄なのです。

第2章

話し方で得する人、損する人

「仕事はできる」のに、話し方で失敗するのはこういう人

◎人を動かすのがうまい人は、相手に「過大な期待」をしない

では、どんな話し方をする人が得をして、どんな話し方をする人が損するのか？事例を交えて紹介していきましょう。

口下手な人の多くは、「自分は会話で損をしている」という自覚があります。ですから、本書で紹介するノウハウを素直に実践すれば、そのままうまくいきます。

むしろ危ないのは、

「自分は話がうまい」

「人に指示を与えるのが得意」

「仕事ができる」

という自覚の強い人たちです。

こういう人たちは、意外と大きな罠にはまっています。

一見会話で得しているように見えても、**少し長い目で見ると実は損をしているのです。**


ここでは、私の生徒さんNさんの例をあげてお話ししましょう。

Nさんは、とてもパワフルなスーパーサラリーマンでした。

Nさん自身がとても優秀なので、できない人への当たりは厳しかったようです。

部下を見るといつも、

「どうしてこんなことができないんだろう」

「こんなにできないなら、自分でやったほうがまだマシだ」

と責めてばかりいたそうです。

そしてできない部下から仕事を取り上げては、自ら長時間残業をしてカバーしていました。

そんな状態だったので、Nさんにはなかなか部下がついてきませんでした。若い時こそ評価されていたNさんでしたが、管理職になって人を育てることができないことがわかってくると、次第に会社で孤立してしまい、辞めざるをえない状況になってしまったそうです。

また、同じタイミングで奥さんとも離婚することになってしまったNさんは、私と出会った頃、心身ともにボロボロの状態でした。

そこで、私はNさんに言いました。

「人は、過大な期待をして、自分をコントロールしようとする人から逃げるものです」

この言葉を聞いたNさんは、思い当たる節があったのか、とても神妙な面持ちで私の言葉を聞いていました。そして大いに反省したそうです。

以来Nさんは、

「思い込みを捨て、相手への期待を捨て、コントロール権を相手に渡せるようになった」

と言います。

するとある日突然、相手が想像を超えるパフォーマンスをしてくれるようになり始めました。

その後、彼は次々と小売業の会社を立ち上げては成功に導き、今では13の会社を経営するビジネスオーナーとして大成功をしています。

それだけではなく、プライベートではとても素敵な奥さんと巡り合って再婚し、お子さんにも恵まれました。

彼のような「舞台のど真ん中でしゃべり続けてきた人」ほど、「得する話し方」をマスターすると、人生が変わります。

自分自身は舞台の上に立たずに、「時間の多くを部下の話を聞くことに費やすようにする」。

これだけで、部下は、

「この人、自分のことを大切にしてくれる」

「この人にだったら、何でも話せる」

「この人のために仕事をがんばろう」

と、勝手に思ってどんどん働くようになっていくのです。

得する人がやっている話し方

思い込みを捨て、相手への期待を捨て、コントロール権を手離して話す

自己中マンは孤立への片道切符

人の話を聞くことに時間を使おう

08

いいところは褒め、嫌なところはスルーする

◎人と比較して落ちこみがちな人は、絶対自分にスポットライトを向けてはいけない

「人と会うのが嫌いで、いつもストレスだった」

と話してくれたのは、クライアントさんのご紹介でお会いした40代女性Fさんです。

「お金もないし、人脈もないし、いつも先のことばかり考えて不安になっていました。周囲に対してもイライラしてばかり。『人の役に立ちたい』という人が、偽善者っぽくて苦手だった」

と言います。

彼女のように、人と会うのが苦手、会話も苦手という人は、少なくありません。

そして、このタイプの人は、どうやら自分と人とを比べることで不安になってしまうことが多いようです。

実際、私の生徒さんのなかではMさんも同じタイプでした。

「人と話をすると、あの人はすごい。それに比べて私は……と、つい自分を落としてしまう思考のクセがあった」

彼女も、学力・能力・職種・お金など、自分の根っこにしぶとい劣等感があったと言います。

こういうときこそ、「得する話し方」の出番です。

人と自分を比べてしまうのは、その人が相手と同じステージ上に立ってしまっているからです。

ステージを自ら降り、スポットライトを当てる役に徹することで、人と比べる癖

がなくなります。

私がFさんとMさんに言ったのは、

「えらい人なんていない。誰かと自分を比べた時点で負けが確定します」

でした。

そもそも、個性というものに、上下があるわけではありません。

ただ性質が違うだけで、個性の総合点は互いに100点で、イーブンです。

それを意識した上で、Fさんにも、Mさんにも、話し手にスポットライトを当てる練習をしてもらいました。

具体的には、**相手にスポットライトを当てながら、いいところは褒め、嫌なところはスルーする。**そして、**スポットライトは相手にだけ当てる。「●●さんに比べて自分は……」と、決して自分にスポットライトを向けない。**

この練習がきっかけとなってFさんもMさんも、「自分は相手に比べて劣っている」という劣等感を持たなくなったと言います。

さらにFさんは、派遣社員から独立することができて、今では大好きな犬と戯れながらのんびり稼げているというから驚きです。Mさんも同様です。

「すごい人は確かにいるけれど、自分自身も素晴らしいと思えるようになりました。おかげさまでどんなすごい人の前でも、普通に会話できるようになりましたし、私には私にしかできないことで、人を幸せにできるという自信が持てました」

「得する話し方」は、人と比較するステージから降りることで可能になります。

結果的に、誰からも好かれ、自分の心も安定する。

いいことづくめの会話術なのです。

得する人がやっている話し方

スポットライトは話し手だけに当てる。決して自分に向けてはいけない

09

「教えなくては」をやめる

◎「教える」よりも「どこがわからないか」を聞く

数学教師をしている50代の男性、Kさんは、私のコーチングを受けるまで生徒に対して、「教えなくては」「理解させなくては」と思って授業をしていたそうです。

数式を理解できればゴール。点数を取れればゴールだと考えていたと言います。

当時彼は、生徒からわからない問題を聞かれたら、「ここに注目して」「こうやって式を立てて」「こうやって計算して」……と、自分で手を動かして教えていたそうです。

しかし、この方法だと最初のうちは「なるほど！　わかりました」と喜んで帰っていくのですが、新たにわからない問題が出てくると、すぐに「やっぱりわかりません」とやってくるようになります。

何度もつまずいているうちに、やがてやる気が続かなくなってしまい、「やーめた」となってしまう生徒が多かったそうです。

そこで私はKさんに、

「方法を教えるのをやめて、生徒が自分で考えるように導きなさい」

と言いました。

それ以来Kさんは、自分が「教える」のではなく、生徒たちに「どこがわからないのか」を問いかけるようになったと言います。

具体的には、**生徒自身に「理解できている部分」と「理解できていない部分」の境目をはっきりさせるようにしたとのこと。**

すると、その先は、相槌を打ったり、ほんの少しヒントを与えるだけで、生徒自らが問題を解けるようになっていったそうです。

Kさんは言います。

「数学『を』教える」のではなく、「数学『で』何を伝えたいのか」という視点を持つこと。

先生に教えられるだけでは、いつまでたっても自分でできるようにならない。しかし自分で考えたことは、その子の力になる。

これまで以上に数学の教師という職業にやりがいを持って取り組めるようになったということで、私にとっても嬉しい報告となりました。

得する人がやっている話し方

教えるのではなく、自分で考えるように導く

手とり足とりをやめよう

「理解させなくては!!」

ここは
こうして
ああして

わかり
ました

次の日

えー
あんなに
教えたのに…

やっぱり
わかりません…

10 自己肯定感の低い人は、相手の話に「真剣に」相槌を打つことから始める

◎相手の自己肯定感を満たすと、自分の自己肯定感も高まる

自己肯定感が低いことが、会話のネックになっていたのが30代女性のHさんです。彼女は、素直に自分の気持ちを表現することが苦手で、会話のなかでいつも、相手にいろんなことを求めすぎていたと言います。

とくにHさんのストレスの原因となっていたのが、旦那さんでした。3人の育児に家事。自分が一手に引き受けていることを認めてほしいのに、感謝の言葉ひとつない夫にいつもムカムカしていたそうです。

そしてその根底には、自己肯定感の低さがあったと言います。

自分に自信が持てないから、承認欲求が爆発してしまう……。

彼女は旦那さんが思ったような答えをしてくれないと、すぐにイライラして、それを態度に出してしまっていました。

結果、相手を不快にさせてしまい、コミュニケーションがとれなくなるという悪循環に陥っていたそうです。

そこで私は、**「まず自分の言い分を聞いてほしいなら、最初に旦那さんの言い分を聞いてあげるようにしましょう」とアドバイスしました。**

例えば、それまで「今日も遅くまで仕事で疲れた〜」という旦那さんに対して、「こっちのほうが、よっぽど疲れてるわ。もっと早く帰って来れんの？」と言い返していたところ、**「そっかー疲れたんだねー」「大変なんだねー」と相槌を打つように伝えたのです**（効果的な相槌の打ち方は96ページ）。

するとそのうち旦那さんから「君も大変でしょ。洗いものは僕にまかせておいて」という答えが返ってくるようになったと言います。

そして、旦那さんの自己肯定感が満たされたことによって、Hさんにもゆとりのある態度で接することができるようになったそうです。

その後も2人は対話を続け、一度は離婚届を突きつけた旦那さんと、今では家族旅行に行けるようになるまで関係が改善したそうです。

「得する話し方」を使うと、相手の話をしっかり聞けるので、相手の自己肯定感が高まります。

その結果、相手もあなたに対して何か恩返しをしたいと思うようになり、聞き手の自己肯定感が高まっていくのです。

まさに一石二鳥の会話術が「得する話し方」なのです。

得する人が
やっている
話し方

自分の自己肯定感が高まると、相手に恩返ししたい気持ちが出てくる

相手の言い分を聞いて相槌を打つと効果絶大

自分の意見を通したいときは、まず相手の「真の目的」を聞き出す

◎望みが達成できることがわかれば、相手はどんな要望も「YES」と言う

40代のTさんは、起業してそれなりに仕事はもらっていたものの、金額の決定権を持てず、いつも提示された金額そのままが報酬になっていたと言います。

このように、自分の主張をはっきり伝えることができず損をしている人は少なくありません。

ママ友や、プライベートな関係でも、いつも面倒なことばかり押しつけられているタイプの人です。

Tさんは、それまで会社員だったため、自分の仕事の価格をどう決めればいいかわからなかったそうです。

そこで私は、**「相手の人生のためを思って聞いて、相手の人生のためを思って価格を決めなさい」とアドバイスしました。**

それをきっかけに、彼女は話し方を変え、自分から言ったわけでもないのに、「またTさんに仕事を依頼したいので、今度はTさんのご希望の金額でお願いします」と言われることが増えたそうです。

多くの人は、「自分の主張を伝えられないことが問題だ」と思っています。

しかし、**本当に自分の主張を通そうと思ったら、相手の言い分を聞くことのほうが近道なのです。**

これには理由があります。

まず、**相手の言い分をしっかり聞くと、その人が依頼したい仕事の先にある、目的が見えてきます。**

そして、**その目的を達成できることを伝えると、相手はその目的をかなえられるのなら、どんなにお金がかかっても、安いと思うようになるのです。**

さらにその金額やサービス内容は、自分自身が言葉にしたことなので、欲しくなります。

Tさんの場合、相手の話を傾聴すればするほど、相手はTさんと仕事をしたくなりました。

結果、今では、この値段以上じゃないとお引き受けしないというラインを一度も下げることなく、仕事が続けられています。

得する人がやっている話し方

相手の真の目的を聞き出して、その目的を応援するように話す

徹底的に傾聴すると、こちらの要望が通る

12 結局、自分のことを先に話す人は、損をする

◎営業マンだからこそ、自分から商品のことを話してはいけない

保険の営業をしている30代のLさん。

彼女は、それまで顧客に営業をするとき、お客様が求めているニーズを十分に聞くことなく、まず自分の商品の話ばかりをしていたそうです。

相手をコントロールしようとして、お客様に圧をかけまくっていたのです。

このように、自分が先に話をしてしまうタイプの人は損をします。

なぜなら、これまで何度か見てきた通り、**人は人の話にまったく興味がないから です。**

ですから、自分の話ばかりをするLさんをお客様が信用するわけもなく、お客様との距離は離れていくばかりでした。

そんなLさんに私は、

「自分の話や商品の話は聞かれるまで一切せず、相手の人生のビジョンを聞きなさい」

とアドバイスをしました。

それ以降、彼女はメキメキと業績を上げ、わずか半年で大阪支社のトップになり、収入が10倍に増えました。

とはいえ、彼女が変えたのは、**とにかく自分が話さず、相手に話させるようにした、**それだけです。

自分のことしか考えていない姿勢が見え隠れする人は、損をします。

「得する話し方」を知ってからのLさんは、収入が増えただけではなく、ものごとに対する考え方や、人生に対する姿勢が180度変わったそうです。

さらに自分だけでなく、周囲も家族もみんな明るくなったことも、大きな変化だったとか。

「得する話し方」は本人だけではなく、周囲の人も大きく変えるのです。

得する人がやっている話し方

自分の話や商品の話は聞かれるまで一切せず、相手の人生のビジョンを聞く

第3章

まずは「合いの手」をマスターする

13 苦手な人がいなくなる「三角巾メンタル」の秘密

◎「得する話し方」をマスターすると、自分自身が好きになる

2章で紹介したように、「得する話し方」は、単に会話がうまくなるとか、会話が弾むといった、表面的なことが変わるだけではありません。

多くの人が、仕事の業績を伸ばしたり、素敵なパートナーに出会えたりしていまず。

そして、何より嬉しいのは、**そういう人たちが例外なく自分を好きになれたり、自信を持って生きていけるようになっていくことです。**

人生において、自分を好きで自信を持って生きていけることほど、幸せなことはありません。

そういう人たちは、見た目もキラキラ輝いていますし、輝くことでさらにいろいろな人に愛されて、仕事も人間関係も恋愛もうまくいくようになります。

この上昇スパイラルに入ると、得することが次々起こるだけでなく、メンタル面も安定します。

まさに**「人生パラダイス」状態になるのです。**

これが、「得する話し方」の最終ゴールです。

◎誰かと話をするときは、「その人が死んでいるところ」をイメージする

今から、「得する話し方」をマスターする上で、必要不可欠なとても重要なことをお伝えします。

それは、

誰かと会話するときには、必ず、その人が死んでいるところをイメージする

ということです。

具体的には、目の前の人に白装束を着せて、(心のなかで)額に三角巾をのっけて、(心のなかで)いわゆる古典的な「お化け」の格好をさせてください。

その際は、できるだけリアルに想像するのがポイントです(笑)。

この準備、「得する話し方」をマスターする上で何より大切です。

なぜ、この儀式が重要なのか?

聞き手であるあなたが「会話の舞台から降りる」というメンタル状態になるためです。

「あー、この人もうすぐ死んじゃうのに、自分なんかに時間を使ってくれてありがたいなー」と思って聞くと、その人からどんな話を聞くことになっても、その人の話が数倍尊く感じられます。

さらに、このメンタルは苦手な相手と話さなくてはいけないとき、なおさら効果を発揮します。

苦手な相手の頭に、がっつり三角巾をのっけて瀕死の状態の人に接する感じで向き合ってください。

そうすれば、ほとんどのことが許せるはずですし、どんなに嫌な人でもほんのり愛しい気持ちになります。

では、「三角巾メンタル」が整った状態で、具体的なテクニックを見ていきましょう。

得する人がやっている話し方

会話の舞台から上手に降りるために「三角巾メンタル」を使う

14

話のうまい人は、例外なく「合いの手」を入れるのがうまい

◎「合いの手」をうまく入れるだけで、会話はどんどん進む

会話をする上で、欠かせないものといったら何でしょうか?

返事、うなずき、目線、表情、話すスピード……。

色々ありますよね。

これらを総称して、本書では「合いの手」とします。

いきなりですが、ここで「合いの手」のない会話を想像してみてください。

どんなに話しかけても、相手から返事もなければ、表情も変わらない、目線も動かない、リアクションがまったくない……。

こんなに話しにくいことってありませんよね。

つまりコミュニケーションでは、**「合いの手を制するものは会話を制する」**と言っても過言ではないくらい重要なのです。

裏を返せば、**合いの手をマスターするだけで、「得する話し方」の半分はマスターできたと言ってもいいくらいです。**

なぜなら、**自分から話をしないで、ひたすら相手にスポットライトを当てるのが「得する話し方」のキモですから。**相手が気持ち良く話せるようにするための基盤づくりこそが「合いの手」なのです。

ではさっそく、初心者にも使いやすく、手軽にできる「合いの手」の基本をご紹介しましょう。

◎相槌を打つのが圧倒的にうまくなる「は・ひ・ふ・へ・ほの法則」

「合いの手」の基本中の基本が、**「相槌を打つ」ことです。**

しかも驚きや共感を示す言葉を言いつつ、相槌を打つと相手が話を進めやすくなり、ノリノリになります。このテクニックは超簡単。

相槌を打ちながら「は・ひ・ふ・へ・ほ」を言うだけです。

例えば、こんな感じです。

「最近、引っ越したんですよ」

「へえー！」

「ちょっと駅から遠いんですけれど、自然が豊かで」

「へえー！」

「子どものびのびしてますね」

「へええーーー!!!」


このときのポイントは、**前のめりでやや食いつき気味に「へえー」と言い続けることです**。そして、心のなかはいつも「**次はどんな話をしてくれるんですか?」という気持ちを持ち続けることです。**


「最近、引っ越したんですよ」

「へえー!」(次はどんな話をしてくれるんですか?)

「ちょっと駅から遠いんですけれど、自然が豊かで」

「へえー!」(次はどんな話をしてくれるんですか?)

「子どものびのびしてますね」

「へええーーー!!!」(次はどんな話をしてくれるんですか?)

「へぇー！」の違うバリエーションとして「ほー！」もあります。

こちらもやはり、前のめりで食いつき気味に言うのがコツ。

「ふーん」もアリなのですが、「ふーん」は、ちょっと冷静な雰囲気がにじむので、初心者は「へぇー！」と「ほー！」からスタートしましょう。

「はあー！」というのも、言いやすい人は使ってみてください。

「ひー！」は利用頻度は高くないですが、めちゃくちゃ面白い話を聞いたときなどに「ひーーーっ！」「ひえっーーーー！！！」と言っても良いでしょう。

これでしたら、話下手の人も無理なく実践できるのではないでしょうか。

しかし問題は、相槌を打つだけの会話に耐えられなくなり、相手の会話を泥棒したくなってしまったときです。


「最近、引っ越したんですよ」

「へえー！」（お、家の話か）
「ちょっと駅から遠いんですけれど、自然が豊かで」
「へえー！」（俺の住んでるところも自然が豊かでいいんだよなー）
「子どももののびのびしてますね」
「そうですよねー、うちも自然が豊かなところなんですよ。この間も子どもと一緒に魚釣りに行って……」（つい会話泥棒しちゃった）

これが、多くの人がやってしまいがちな会話泥棒です。

ほとんどの人は、相手の話を聞きながら、次に何を話そうかを考えてしまいます。

また、人は思いついたことを話すのを我慢できない生き物です。

結果、スポットライトを手離して、自分も舞台に上がってしまうのです。

もちろん、友人知人など気の置けない仲間と会話を楽しむときに、こんなテクニックを使う必要はありません。

しかし、何らかの目的があって、それを達成したい、あるいは人生の夢をかなえたい、ということであれば、ここはぐっと我慢して真剣に相槌を打つことに集中してみてください。

驚くほど、相手が楽しそうに話してくれることがわかるはずです。

そして、一度でもそれが感じられたら、私が申し上げている「会話だけで人生が180度好転する」が、嘘ではないことを実感してもらえると思います。

最近では、電話やオンラインでのやりとりも増えています。

オンラインでは互いの情報量が少なくなりがちなので、リアル以上に大げさな相槌を打つのがコツです。

得する人がやっている話し方

「次に何を話そうか？」ではなく「は・ひ・ふ・へ・ほの法則」で相槌を真剣に打つ

必殺「合いの手」 は・ひ・ふ・へ・ほ!!

電話やオンラインでは少しオーバーリアクションで

驚くほど相手が楽しそうに話してくれるようになる

15 相手の話すスピードに合わせて、相槌を打つスピードも変える

◎途切れなく話す人にはテンポよく、ゆっくり話す人には間のある相槌を打つ

これまで紹介してきた通り、多くの人は「人の話を上の空で聞いている」ため、真剣に相槌を打てるだけで、すでにあなたは会話で得する上位1割にランクインしています。

ここで、「相槌を打つ」を、より効果的にするテクニックをご紹介しましょう。

「ペーシング」です。

この技もとても簡単なのですが、「は・ひ・ふ・へ・ほの法則」と合わせて使う

と、効果が増し、短時間で相手のハートをぐぐっとつかめるのが特長です。

さっそく見ていきましょう。

「ペーシング」とは、文字通り、話し方のペース（速度）を相手に合わせることです。

例えば、ゆっくり話す人には、ゆっくりのペースで、早口の人には速いペースで合いの手を入れていきます。

この場合、ペースを合わせるのは話す速度だけではありません。

相槌の速度も含みます。

例えば早口の人には、「はい！　ほい！　それ！」という感じで、相槌もテンポ良く入れます。

そうすると、相手もどんどんノリが良くなって、気持ち良く話してくれます。

反対にスローペースで話す人には、相槌もゆっくりと深く打ちます。

「あなたの話、ちゃんと聞いてますよ」という心持ちで、丁寧にゆっくりうなずくと相手は、胸襟（きょうきん）を開いてあなたにどんどん話をしてくれます。

上手な相槌の打ち方は、音楽をイメージすると、わかりやすいかもしれません。

ロックみたいに途切れなく話をする人には、「うん、うん、うん、うん、それで？」といった具合にこちらも途切れなく相槌を打ってノリよく返す。

バラードのようにゆっくり話をする人は、相手が大きく息継ぎしたときに、こちらも「そうですよねーーーーー」とゆっくり、間のある相槌を打つ感じです。

しかし、人が話すスピードはいつも一定とは限りません。

最初はスローペースで話をしていた女性が、何かのはずみで突然スイッチが入り、声のトーンが上がって、話すテンポが速くなることがあります。

スピードが変わったときは、相手がその話にとても興味・関心がある証拠です。

こちらも相手のテンポに合わせて、相槌のスピードや合いの手のスピードを変えましょう。

この「ペーシング」という技法は、心理学的にも有名な方法で、すでにご存じの方も多いと思います。

そこで、「得する話し方流ペーシング」で、最も大事なことをお伝えしましょう。

それは、**「本当に」相手の話を聞きながらペーシングすること**です。

どんなにうまく「ペーシング」できていても、相手の話を上の空で聞いていればそれは相手に必ず伝わります。

つまり、テクニックだけマスターしても何の意味もないのです。

もし、「は・ひ・ふ・へ・ほの法則」や「ペーシング」を使っても有効にヒットしなかったならば、それは相手の問題ではなく聞き手の問題です。

そんなときは、必ず基本に立ち戻ってください。

会話の舞台から降りて、「三角巾メンタル」で相手の話を真剣に聞く。

（この人いつか必ず死ぬのに、僕のために時間を使ってくれてありがとう。話してくれてありがとう。次は何を話してくれるのかな）

この気持ちをしかと心にとめてから、「は・ひ・ふ・へ・ほの法則」や「ペーシング」を使ってみると驚くほど、会話が盛り上がるはずです。

得する人がやっている話し方

「ペーシング」で大事なのは、やっぱり「三角巾メンタル」

相槌をより効果的にする「ペーシング」

〈早口の人〉=〈テンポ良く相槌を打つ〉

〈スローペースの人〉=〈丁寧にゆっくりうなずく〉

聞くときは「三角巾メンタル」も忘れずに

16

言葉をそのまま繰り返すだけで、相手はどんどん快感になる

◎多くの人が失敗している、ある落とし穴とは？

次は、「オウムリターンの法則」です。

「オウムリターンの法則」は、鳥のオウムが人間の言ったことをそのまま繰り返すがごとく、**話し手の言ったことを聞き手がそのまま返す、それだけです。**

このテクニックも大変有名なので、「なんだ、知っているよ」という人がいるかもしれません。

ただやり方は知っていても、多くの人が失敗しているある落とし穴があります。

それは、**相手の言葉を繰り返したあとに、「自分の意見や考え方を付け加えてし**

まうこと」です。
事例を見てみましょう。

（NG事例）
取引先「最近の若いもんは、全然飲み会に来ないんだよな」
聞き手**「来ないんですかー」**
取引先「よかれと思ってアドバイスしたことも、『ありがとうございます』すら言わないんだよ。俺の話も、全然聞いてないし」
聞き手**「話を聞いてないんですかー。それはけしからんですね（自分の意見）」**
取引先「そうだろ！！　俺もけしからんと思うんだよ」
聞き手**「僕もそう思います。最近の若者はほんとなっていないですよね」**

いかがでしょう。

最初は取引先の「若者が飲み会に来ない」という愚痴だったのが、最後は「**僕もそう思います。最近の若者はほんとなっていないですよね**」という聞き手の意見にすり替わっています。

つまり、聞き手がいつの間にか会話を泥棒してしまったのです。

せっかく相手の言葉をそのまま返しても、そのあとに自分の意見や考え方を付け加えてしまうと、すべてが台無しになってしまうのです。

ですから、「オウムリターンの法則」を使うときは、**絶対に自分の意見や考え方を付け加えてはいけない。**

ただただ、「私はあなたの言葉をキャッチしましたよ」という態度だけ、しっかり見せることです。

では、どうすれば良かったのか？

事例を見てみましょう。

（ＯＫ事例）

取引先「最近の若いもんは、全然飲み会に来ないんだよなー」

聞き手**「飲み会に来ないんですかー」**

取引先「よかれと思ってアドバイスしたことも、『ありがとうございます』すら言わないんだよ。俺の話も、全然聞いてないし」

聞き手**「話を聞いてないんですかー」**

取引先「ほんと、俺たちの時代とは全然違うよな」

聞き手**「全然違うんですね」**

おわかりいただけましたでしょうか？

聞き手は、「若者が飲み会に来ない」「俺たちの時代とは違う」という取引先の言葉をそのまま繰り返しているだけで、意見や考えは付け加えていません。

このように、**話し手の話をそのままリターンすることが、オウムリターンの本質**

であり、その結果、話し手の本当に言いたいことが見えてくるのです。

「オウムリターンの法則」を使うときは、**絶対に自分の意見や考え方をつけ加えない。**これを肝に銘じてください。

さて、「オウムリターンの法則」は、心理学的には女性相手のほうがより効果を発揮すると言われていますが、私の経験で言えば老若男女、誰にでもヒットする法則だと思っています。

次の事例は、若い男性同士の会話です。

話し手「今日渋谷行ったんだけどさー」
聞き手**「渋谷行ったんですねー」（オウムリターン）**
話し手「工事中のところが多くて迷うよねー」
聞き手**「そうですね、迷っちゃいますねー」（オウムリターン）**

話し手「あれいつまで続くんだろうねー」
聞き手**「そうですね、いつまで続くんでしょうねー」（オウムリターン）**
話し手「早く終わってほしいよね」
聞き手**「ほんと、早く終わってほしいですよねー」（オウムリターン）**

この会話、冷静に書き出してみると、なかなかに滑稽ですよね。

しかし不思議なことに、この滑稽なオウムリターンの応酬が、意外と効果的なのです。

ただただ相手の言葉を繰り返しているだけなのに、相手はどんどん前のめりになって話してきます。

なぜ、「オウムリターンの法則」がここまで効果的なのか？

それは、**人は誰でも自分の気持ちを受け止めてもらえたときに、エクスタシーを感じるからです。**

キャッチボールを例にとると、わかりやすいと思います。

キャッチボールで自分が投げたボールを相手が後ろにそらした場合、次投げるとき、なんとなく「大丈夫かな」「きちんと受け止めてくれるかな」と心配になってしまいますよね。

いっぽう、投げたボールを受け手がしっかり受け止めてくれて、その上、受け止めるたびにミットから「バシッ」という音が聞こえてきたら、とても快感ですよね。

つまり、「オウムリターンの法則」は、ボールを「バシッ」と受け止めてくれる人と同じで、「あ、自分の言葉がちゃんと相手に届いた」という感じを相手に伝えるテクニックなのです。

話し手は自分の思いが届いていることを感じられると、とても安心しますし、相手に好意を持ちます。

「この人、めっちゃ受け取ってくれるわー」となって、それだけで満足するわけです。

冒頭の取引先の男性にしても、ただ単に、「後輩に相手にされない自分の悲しい気持ちを受け取ってくれた」というだけで十分なのです。

そこにカタルシスが生まれ、相手に気持ち良くなってもらえる、ということなのです。

得する人がやっている話し方

人は自分の気持ちを受け止めてもらえたときにエクスタシーを感じる

17 「は・ひ・ふ・へ・ほの法則」と「オウムリターンの法則」を組み合わせて、話を途切れさせない

◎話の途中で「オウムリターン」を差し込んではいけない

「は・ひ・ふ・へ・ほの法則」はマスターした、「オウムリターンの法則」もだいぶ使えるようになってきた、という人におすすめなのが、両方をミックスして使う技です。

例えば、最初は「へぇ」「ほお」「ひ〜」で返しておき、少し間が空いたときに、相手の言葉の最後をとって「●●だったんですねー」とリターンするのです。

このテクニックを使うと、話の途切れた感がなくなって、相手に「あ、受け止めてくれた。次のボールを投げよう」という気持ちになってもらえます。

例えば、こんな感じです。

妻「ねえねえ、雄太がね」
夫**「はい、はい」**
妻「この間の数学テストで、平均点より上の90点を取ってきたの」
夫**「ひえーーー」**（は・ひ・ふ・へ・ほの法則）
妻「すごいでしょう」
夫**「すごいね！！！」**（オウムリターン）
妻「本当よくがんばったわ」
夫**「本当によくがんばった！！」**（オウムリターン）

いかがでしょう？　さほど難しくないと思います。
ただこの方法、とても簡単なのですが、ひとつだけ注意点があります。

それは、**話し手が話をしている最中にオウムリターンを差し込まないことです。**

事例を見てみましょう。

（NG例）

妻「ねえねえ、雄太がね」

夫**「うん」**

妻「この間の数学のテストで……」

夫「この間の数学のテスト……良くなかったのか」（話の途中でオウムリターン）

妻「じゃなくて、テストで平均点より上の……」

夫**「平均点より上、ということは良かったのか？」**

妻「だから、最後まで話を聞け！！！！」

この場合、一応オウムリターンっぽくなっていますが、途中で自分の意見や考えを付け加えています。

何より、妻の話を最後まで聞いていません。

日本語は構造上、最後に結論が来るので、話し手の話を途中で遮ると、意味が不明になってしまうのです。

ですから、「オウムリターンの法則」を使う場合は、必ず相手の話を最後まで聞いて、その言葉をそのまま返すこと。

これを忘れないでください。

得する人がやっている話し方

相手の話を途中で遮らず、最後まで聞く

18 人の悩みは、「解決しなくていい。アドバイスしなくていい」

◎悩みを相談してきた人には、「オウムリターンの法則」で自分で結論を出してもらう

「は・ひ・ふ・へ・ほの法則」や「オウムリターンの法則」を教えると、よく出てくる質問があります。

それは、「相談に来ている相手に、解決策やアドバイスをしなくていいのですか?」というものです。

これには私なりの答えがあります。それは、

「解決しなくていい。アドバイスしなくていい」

です。

「ええ!? 相手が『相談に乗って』と言っているのに無視するの?」「アドバイスが欲しいって言っているのにアドバイスしないと失礼じゃない?」

そう思われる方もいらっしゃることでしょう。

しかし、あえて言います。人の悩みは、

「解決しなくていい。アドバイスしなくていい」

なぜか?

これはちょっと専門的な話になるのですが、**人には自分で気づいたことしかできない性質があります。**

私は普段、いろんな人のコーチングをしていますが、一番大事なことは、

「本人に結論を出してもらうこと」

です。

人は、自分の口で言ったことをかなえようとして行動に移します。

逆に**一時的には、誰かの意見やアドバイスに従ったとしても、自分が心の底から願ったことでなければ長続きしないのです。**

だから、聞き手は話し手の悩みを**解決しなくていいし、アドバイスしなくていい。**

例えば、「離婚したいんだよねー」という友人がいたとします。

ここであなたは「離婚して大丈夫？　やめたほうがいいわよ」と引き留めたり、「思い切って離婚したら？」と背中を押したりする必要はありません。

ただただ、「離婚したいんだね」とオウムリターンすればいいのです。

友達　「最近、旦那といるのが苦痛で苦痛で仕方がないの」

あなた　**「苦痛で苦痛で仕方ないんだね」（オウムリターン）**

友達　「なんなら、離婚も考えちゃってるんだよね」

あなた　**「そうかー、離婚も考えちゃってるんだね」（オウムリターン）**

これで十分なのです。

聞き手であるあなたがオウムリターンを繰り出すことで、相手は自分が発した言葉に自覚的になります。

「そっか、私って友達にこんな話をするくらい、離婚したいって考えているんだな～」

と自分で、自分が考えていることを自覚するわけです。

そこで、何らかの決断をしようとします。

本当に離婚しようと思っている人なら離婚届を取りに行きますし、その時の気分でちょっと言っちゃっただけなら、旦那さんと話し合うなどします。

つまり、**聞き手は相手の話を聞くだけで十分な役目を果たしており、そのあとどうするかは、話し手にお任せすればいいのです。**

ただ、話し手にしてみれば、聞き手が熱心に話を聞いてくれたおかげで決断できるきっかけがつかめたわけで、それに気づかせてくれたあなたに、とてもいい感情を抱きます。

誰にも恨まれず、責任をとらなくてもよく、ただ感謝されるだけ。

これが「オウムリターンの法則」の特長です。

得する人がやっている話し方

悩みを相談してきた人の話を聞くだけで あなたは十分な役目を果たしている

相手の悩みを解決しようとせず
「オウムリターン」するだけでいい
最近
旦那といるのが
苦痛なのよ
苦痛
なんだね
離婚
したいん
だよね
そうかー
離婚したいん
だねー
そっか !!
ハッ
私、人に
こんな話をする
くらい離婚
したかったんだ !!
……
自分の
気持ちが
わかって
よかった
ありがとう !!
どういたしまして

19 「そんなの聞いたの、初めて！」で、プライドをくすぐる

◎「あざとさ」よりも「破壊力」が勝る驚異のミラクルワード

私の提唱する「得する話し方」では、基本的に相手に自分の意見を主張したり、アドバイスをする必要はありません。

しかし、相手がより気持ち良く話せるようにするための環境を徹底的につくり上げます。

そんなとき重宝するのが、「ホメホメ合いの手」です。

「ホメホメ合いの手」も基本は簡単です。

いくつかの定型文をマスターして、それを順番に繰り出せばあとは、どんどん話が膨らんでいきます。

では、どんなシーンでも使えて、絶対相手が喜んでくれる「ホメホメ合いの手」の基本ワードについてご紹介していきましょう。

それは、

「そんなの聞いたの、初めて！」

です。

ここで、「ぷっ」と、笑った人。はい、あなたはきっと過去に使った覚えがある方でしょう。

この言葉、いわゆる**「彼女に言われて一番嬉しい言葉」**として、よく女性誌や女性向けの恋愛攻略本に取り上げられる定番中の定番のキラーフレーズです。

しかしこれ、本当にすごいのです。一度使ったらやみつきになるほどの破壊力があります。

なぜなら、**「そんなの聞いたの、初めて！」には、いろんな意味合いがこもるからです。**

まず、「面白い話をしてくれてありがとう」という感謝の意味がこもります。

そして、「そんな面白い話を私に教えてくれたのは、あなたが初めてです」という意味も伝わります。

つまり、「そんなの聞いたの、初めて！」は、**相手に感謝し、相手を立て、プライドをくすぐり、もっと話してあげようという気持ちを大いに盛り上げるミラクルワードなのです。**

もちろん、「そんなの聞いたの、初めて！」で喜ぶのは、男性だけではありません。

女性も、「そんなの聞いたの、初めて！」と言ってもらえると、嬉しいものです。

つい「もっとこの人にいい情報を伝えて喜んでもらいたい」と感じてしまいます。

その証拠に、このミラクルワードが繰り出されると、男性でも女性でも恍惚(こうこつ)の表情を浮かべるのですから。

ですので、「そんなの聞いたの、初めて！」は、出し惜しみなく、湯水のように使ってください。

さて、ここまで読んだ人のなかには、

「それって嘘っぽくない？　本当に初めて聞く話なんてあまりないはず」

「いかにもという感じがして、わざとらしくない？」

と心配になった人もいるかもしれません。

しかし、こうも考えられないでしょうか。

世の中の話はほぼすべて、初めて聞く話ばかりのはずです。

例えば、

「（お堅い職業の人から）そんなの聞いたの、初めてです！」

「（あなたの会社の人からその成功事例について）そんなの聞いたの、初めてです！」

「（仕事では聞いたことあるけれど、プライベートのママ友から）そんなの聞いたの、初めてです！」

と、**切り口を変えれば、いつでもどこでも、人の話は「初めて」のオンパレード**です。

そう考えれば、決して嘘をついているわけではありません。

だから堂々と「初めて！」を言いましょう。

得する人がやっている話し方

「わざとらしい」「あざとい」と考えず、どんどん「そんなの初めて！」を使ってみる

破壊力NO.1!!「ホメホメ合いの手」

○出し惜しみせず湯水のように使う

○「面白い話をしてくれてありがとう!!」という感謝の気持ちで!

○決して嘘をついているわけではない。堂々と言おう!

相手の話が魅力的であることを伝える「最高に面白いです！」

◎自分が本当に「面白い！」と思うことを相手に伝える

先ほどの「そんなの聞いたの、初めて！」に続く、相手に気持ち良く話してもらうためのミラクルワードが**「最高に面白いです！」**です。

ここまで「得する話し方」を読んでくださったみなさんは、話の舞台から降りて観客席から話し手を見つめるというイメージがおおむねでき始めているはずです。

であれば、ここで今一度、観客席から舞台にいる話し手を見ている自分を思い浮かべてみてください。

そして、舞台にいる話し手にスポットライトを当てながら、話し手のどこが面白いかを探してみてください。

そして、**話し手の面白い部分が見つかったら、そこにがっつりスポットライトを当てるのです。**

具体的には、こんな感じです。

経営者「僕はミッションとして人類への貢献を掲げているけど、本来は腹黒いんです」

あなた「(そのギャップが)最高に面白いです!!」

会社員「本業が忙しいんですけど、英語を習得したいので合間を縫ってアメリカの連続ドラマを大量に見ます」

あなた「(忙しいなか、ドラマで英語を覚えるなんて)最高に面白いです!」

主婦　「韓流ドラマをシーズン10まで見たんです！！！」

あなた「（みんなが働いているときに、日本ドラマでもなく韓国ドラマをどっぷり見るなんて）最高に面白いです！」

看護師「料理を習いに沖縄に行ってきたんです」

あなた「（それだけのために沖縄まで習いに出かけるなんて）最高に面白いです！」

こんな感じで、やや強引に自分にとって面白いところを見つけて、褒める。

そうすると、相手は、自分にずど～んとスポットライトが当たったことを感じて、とても気持ち良く話し始めます。

ここでのポイントは**「自分にとって面白い」**ということです。自分が面白いと思っていないのに、「最高に面白いです！」と言っても相手には伝わりません。

そこで、事例であげたように、**やや強引にでも自分なりの解釈で面白いと感じたところを褒めること。これが大事です。**

ただなかには、面白いと感じる部分が見つからない人がいます。

そのときは、「今、とても難易度の高いゲームを攻略しようとしている」と思ってください。

つまり、**あなたは宝探しゲームに参加している挑戦者です。**

手がかりの一つひとつを少しも聞き漏らさないよう、真剣に宝探ししてください。

その真剣度で当たれば、必ず面白いところが見つかるはずです。

そして、宝を見つけたらすかさず、

「あなたの素敵なところはここですよ!」

「気づいてください、その話、めっちゃ面白いですから!!」

の気持ちを込めて、この合言葉を伝えてください。

「最高に面白いです!!!」

得する人がやっている話し方

宝探しゲームに参加している感覚で、相手の面白いところを探して褒める

相手の宝探しは最高に面白い!!

みなさん！ 最高に面白いです―――!!!!!

どんな相手でも必ず面白いところはある

強引でもいい。自分が心から面白いと感じて褒めることが大切

21

褒めるところがない人は相手の「良い人格」にフォーカスして褒める

◎褒めるところがない人なんていない

「ホメホメ合いの手」の話をしていると、時折「嫌なところばかりで、褒めるところがない人もいませんか？」と質問されることがあります。

断言しますが、**そんな人はいないです。**

もし、相手の悪いところしか見えないのだとしたら、それは、あなたがマイナス要素にだけフォーカスするレンズをかけてしまっているからです。

心理学的に言うと、**マイナスのバイアスがかかった状態で人を見ているときは、マイナスの情報しか受け取れないようにできています。**

いっぽう、**プラスのバイアスをかけた状態で人を見ているときは、プラスの情報がどんどん入ってくるというわけです。**

私はいつも、「人のいいところを見つけてやろう」という宝探し精神で人と接しているため、あまり人の悪いところは見えません。

そして、宝探しをして歩いていると、たまに落とし穴にハマっても、「まあしゃーないか」くらいの気持ちにしかならないのです。

こんなことを言うと、「性格がいいですアピールかよ！」と思う人がいるかもしれませんが、そういう話ではありません。

自分がラクして喜ばれて、ラクしてありがとうと言われて、ラクして幸せになるにはどうしたらいいかを考えた末に編み出した技なのです。

そしてこの次に必ず聞かれるのが、「人の悪いところを見ないようにしていたら、騙されませんか？」という質問です。

たしかに、人のいいところばかり見て、なんでも「へええ」「ほおお」と言っている人は、一見騙されそうな気もします。

でも、逆なんです。

人は、**自分のことを無条件に信頼してくれる人のことは、意外と裏切れないものです。**

自分のことを「いい人だ！」「素敵な人だ！」と絶賛してくれる人の前では、人はなぜかいい人になろう、素敵な人になろう、もっと褒めてもらおうという心理が働きます。

ですから、本当は腹にどす黒い気持ちを抱えている人だったとしても、こちらが無邪気に、

「へええ」

「ほおお」

「そんなの、初めて聞きました！」

「めっちゃ素敵です！」

と言っていれば、本当に「そういう人」として、接してくれるようになるのです。

私が「得する話し方」を教えた生徒さんのなかには、これでパワハラ上司を撃退した人もいます。

パワハラ上司って、誰に対してもパワハラしているわけではありません。Aさんには厳しいけれど、Bさんには意外と優しかったりします。

つまり、人間は、人格がひとつではないのです。

ということは、その人のなかにある「良い人格」にスポットライトを当て、その人格をフォーカスしてあげれば、その人は（あなたにとって）ずっといい人でい続けてくれるようになります。

なぜなら、自分を認めてくれる人には**「この人にはいいほうの人格で接しよう」と思うからです。**

もしみなさんに苦手な人や、この人1ミリもいいところないやと思う人がいたら、一度でいいから宝探しをしてみてください。
意外と、大きな宝が眠っていたりするかもしれませんよ。

得する人がやっている話し方

相手のいいところを認めて褒めることで、「良い人格」で接してくれるようになる

相手のいいところを見て褒めると関係性は劇変する

22

見た目や持ち物を褒めて、相手のセンスが良いことを伝える

◎「それ、素敵です！」は、相手が確実にいい気持ちになるパワーワード

「ホメホメ合いの手」３つめのバージョンをご紹介します。

「それ素敵です！」です。

このパワーワードも、使い方はとっても簡単です。

その人の姿を見て、目に入ってきた「素敵だな」と思うところを褒めるだけです。

例えば、

「吉本さん、脚が長くてスーツが素敵です！」

「藤井さん、ヘアスタイルがおしゃれで素敵です！」

直接、その人の見た目を褒めるのが恥ずかしければ、持ち物でもＯＫです。

「山本さん、そのバッグが素敵です！」

「工藤さん、その靴、素敵ですねー！」

「久米さん、そのｉＰｈｏｎｅケース、素敵ですね！」

何でもいいのです。パッと見て印象に残ったところを褒めましょう。

見た目を褒められて、嫌な気分になる人は皆無です。

持ち物も同じです。

その人の持ち物を褒めるということは、**「その持ち物を選ぶあなたのセンスが素敵です」と言っているのと同じです。**

ですから、確実にいい気持ちになってもらえます。

実際に声に出して、「それを選ぶセンスが素敵です！」と言ってしまうのも効果的でしょう。

とはいえ、これまで人の見た目を気にしたことがなかったとか、見た目を褒めるなんてハードルが高いという人もいると思います。

なかには、「○○さんの褒め方ってわざとらしい」と言われて、苦手意識のある人もいるでしょう。

そういう人は、**まず「素敵だなと思うところを見つける訓練」をしましょう。人に会ったとき、見た目で素敵だなと思う部分を見つける練習をするのです。**

これもひとつの宝探しです。人のいいところを見つける、トレジャーハンターの気分になってやってみてください。

最初はそれを口に出せなくても結構です。訓練を続けていくと次第に、それを伝えたい気持ちがむくむく湧いてくるはずです。

◎相手の「変化」に気づいて褒めると、効果は2倍

「それ、素敵です！」に慣れてきたら、さらにレベルアップしましょう。

見た目を褒めることは同じなのですが、**人の「変化」に着目して褒めるようにする技です**。これを操れるようになると、まさに褒めの達人になれます。

「先日のバッグも良かったですが、今日のバッグも、素敵ですねー」

「川北さん、いつもおしゃれですけれど、今日のピアスも素敵ですねー！」

「小林さん、髪型、変えたんですね。とても似合っていて素敵です！」

といった具合です。

この褒め方の最大のポイントは、**「変化」に焦点が当てられているということです**。

「変化に気づいて言葉にする」ということは、その人に興味があってしっかり見ていますよ、ということを相手に伝える行為でもあります。

また、今回だけではなく、前回の自分も注意深く見てくれていたという証拠ですから、相手にとって二重の好感しかありません。ですから、とても効果的です。

ただ、これをやる上で、絶対に欠かせないことがあります。

それは、**前回の見た目を鮮明に記憶しておくこと。**

しかし、これが結構難しい。

例えば、私のような記憶力が怪しい人間は前回お会いしたときの服装など、まったく覚えていません。

そこで私はあるアイデアを思いつきました。**誰かと会ったときはできるだけ写真を撮らせてもらうようにしたのです。**

まず「お会いした記念に1枚撮らせてもらえませんか」という具合に集合写真を撮らせてもらいます。

そして、**次にその人に会うときは、前の写真を見返してから会うようにするのです。**

そうすると、写真を見比べて「違い」がわかるようになりますから、お会いしたときに「変化」を褒められるようになります。

ここで、私が写真を撮影するときにこっそりやっている秘密のテクニックをお伝えしちゃいましょう。

誰かと写真を撮るときには、できるだけお相手の方が綺麗に写るように意識することです。

例えば、一番綺麗な光の場所に相手に座ってもらうとか、自分のほうが少し前に出て、わざと自分の顔が大きく見えるように写るのです。

そうすると、相対的に相手の方の顔のほうが小さく見えるので、とくに女性には喜ばれます。

以上、上級テクニック的なところもありますが、上級なだけに、喜ばれ度合も半端ありません。ぜひ試してみてください。

得する人がやっている話し方

「見た目」を褒めることは、「いいところ」を見つけて褒めるのと同じくらい重要

23 有名人、立場が上の人こそ「褒める」が効果的な理由

◎有名人や立場が上の人ほど、自分の話を聞いてもらっていない

さて、「ホメホメ合いの手」の話をすると、「有名人や立場が上の人は褒められ慣れしているから、褒めても意味ないんじゃないか」と言う人がいます。

有名人や高い地位にある人に対しては、ちょっと生意気な態度で接したほうが、気に入ってもらえると書かれた指南書を見たことさえあります。

しかし、そんなことはありません。

有名人にも「ホメホメ合いの手」は有効です。逆に有名人ほど効き目が大きいくらいです。

なぜなら、**有名になればなるほど、立場が上であればあるほど肩書や実績ばかりが注目され、本人自身に関心を向ける人が少なくなるからです。**

もう少し解説しますね。

たしかに、有名人や立場のある人は褒められ慣れしています。

しかし、有名人や立場のある人が接する人の多くは、「有名人とお近づきになって、自分も引き上げられたい」とか「立場が上の人からチャンスをもらいたい」と思っている人です。

ですから、有名人や立場のある人が話をしようとすると、聞き手である自分もつい有名人と同じ舞台に立って話をしてしまいがちです。

では、なぜこんなことになってしまうのか？

聞き手の有名人や立場のある人に引き上げてもらいたい、チャンスをもらいたいという思いが強すぎて、自分をアピールすることに意識が向くからです。

つまり、**有名人の話をちゃんと聞いていないのです。**これが**有名人の悲しき孤独**

です。

だからこそ、有名人や立場が上の人は、ただひたすらに自分の話を聞いてくれる人に好感を持ちやすくなります。

自分のことを主張したり売り込んだりせず、真剣に耳を傾けてくれる人は有名人からは輝いて見えるのです。

しかもただ聞くだけではなく、「この人のいいところを宝探ししよう」というマインドで接してもらえたら、有名人・立場が上の人に限らず誰でも嬉しいものです。

私も、ときどき著名な方にお会いしてお話しする機会がありますが、そういう人たちほど孤独なので、きちんと話を聞いて「ホメホメ合いの手」をするととても喜んでくれます。

ちょっと上から目線っぽいですが、**有名人から何かをもらおうとするのではなく、まず話を聞いてあげる。**

「くれくれ」ではなく、「あげます」という気持ちで接する。

有名人、無名人を問わず、人の良いところを宝探しして、その人のお役に立てればいいなあという気持ちを、常に持っておくことです。

それだけで、結果的に、相手も自分もハッピーになれるのです。

得する人がやっている話し方

有名人や立場が上の人が相手のときこそ、舞台から降りて褒める

24 どんな相手にも動じなくなる「縦軸思考と横軸思考の法則」

◎「縦軸思考」ではなく「横軸思考」で接すると、人との比較がなくなる

先ほど、有名人とどう接すればいいかという話をしましたが、どんな有名人にもまったく動じない私を見て、「新井さんはえらい人と話すとき緊張しないのですか」と言う人がいます。

ここまで読んでくれたみなさんならおわかりだと思いますが、私自身、もとは話下手で小心者なので、えらい人と会って緊張しないというタイプではありません。

しかしあるとき、**「縦軸思考と横軸思考の法則」**に気づいてから、い

ろんなことがぐんとラクになりました。みなさんにシェアさせていただきます。

「えらい人と会うと緊張する」という人は、縦軸の価値観で生きている人です。

わかりやすく言えば、**「自分と相手を上下関係で見ている人」です。**

例えば、

「あの人はまだヒラ社員だから、年収はこれくらいかな」

とか、

「あいつはフリーターだから、まだまだだな」

といった具合に、心のなかで相手と自分に点数をつけつつ話をする人です。

人との関係性を「上下の関係(縦軸)で考えがちな人」は、基本的に「えらい人」と一緒にいるとき、相手が上で自分が下にいることになり、「できるだけ自分を上に見せなくてはいけない。もっといい点数を取らなきゃいけない」という心理が働くため緊張してしまうわけです。

しかし、これを横軸の関係で考えたらいかがでしょうか。

総理大臣だったとしても、学校の先生だったとしても、会社員だったとしても、有名なアーティストだとしても、横軸で考えればどちらが上でも下でもない。ただ、横一線にいろんな職業や立場や役割の人がいるだけです。

総理大臣には総理大臣の役割があるし、先生にも会社員にも、アーティストにも、それぞれ役割がある。

それぞれが、自分の居場所をチョイスして、なりたいものになっているだけと考えればいいのです。

そして、もし、今いる場所が嫌だったら、横軸の別の場所に移動すればいい。

こんなふうに横軸で人を見るようになってから、私は人と自分を比較しないですむようになりました。

それだけではなく、成長しないといけないとか、上にいかなきゃチャレンジしてないという考えもなくなりました。

つまりチャレンジして何らかの結果を得ることが大切であり、出た結果について一喜一憂したり、点数をつけることがなくなりました。

自分の個性を活かして、自分のなりたいものになればいい、やりたいことをやればいい、そう思えるようになったのです。

さて、ここまで「相手がえらい人だと緊張する人」について話をしてきましたが、その逆もあります。

「相手が自分よりも下だと思ったらぞんざいに扱う」というパターンの人です。

実は、こちらのほうが闇が深いですし、**会話で失敗するのはむしろ、こちらのパターンの人かもしれません**。

例えば、みなさんはそうじのおばちゃん、警備員のおじちゃん、タクシー運転手、アルバイトの学生、コンビニの店員さんに対してどんなふうに接していますか？

知らず知らずのうちに、自分のほうが客だからとか、年上だからと、ぞんざいな口を聞いていたり、挨拶を欠かしたりしていませんか？

何かにつけ人を下に見る癖のある人は、「自分よりもえらい人」を見ると過度に緊張してしまいがちです。

ということは、人を上下で見なくなれば、「えらい人も、自分のことを見下したりしていない」と思えるようになるので、緊張しなくなります。

そこで私は、「得する話し方」セミナーのなかで、普段ちゃんと挨拶をしていない人に挨拶をするという練習をしてもらいます。挨拶も訓練が必要なのです。

相手を縦軸思考ではなく、横軸思考で見るというのは、あらゆるコミュニケーションの基本となる考え方です。

えらい人には緊張するという人は、ぜひ、人との関係性を考えるときの軸を変えてみてください。

得する人が
やっている
話し方

相手によって話し方や態度を変えない

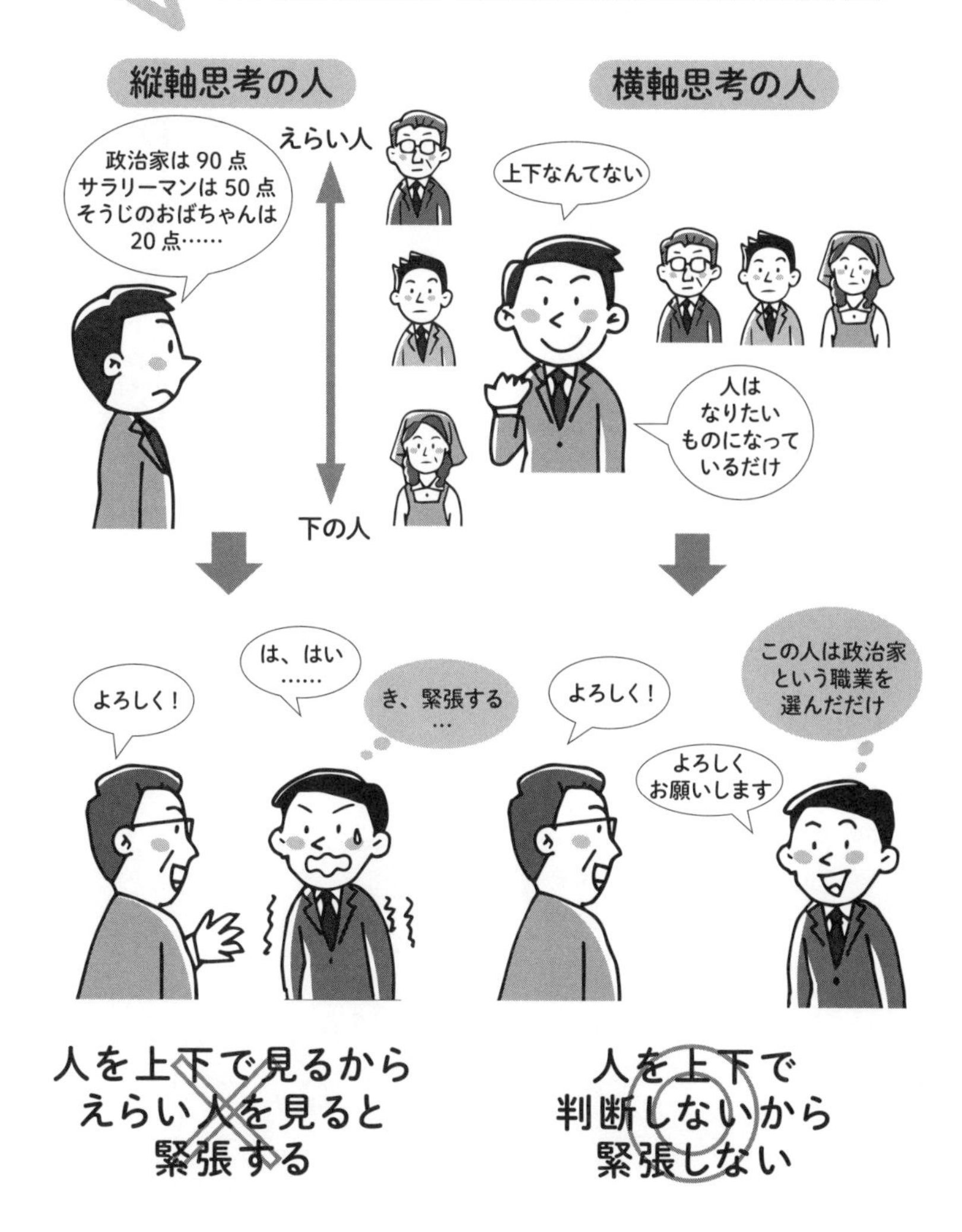
「縦軸思考」を「横軸思考」に変えると
コミュニケーションがうまくなる
縦軸思考の人
横軸思考の人
えらい人
下の人
政治家は90点
サラリーマンは50点
そうじのおばちゃんは
20点……
上下なんてない
人は
なりたい
ものになって
いるだけ
よろしく！
は、はい
……
き、緊張する
…
よろしく！
この人は政治家
という職業を
選んだだけ
よろしく
お願いします
人を上下で見るから
えらい人を見ると
緊張する
人を上下で
判断しないから
緊張しない

25

価値観に関する話は、必ずメモして相手に伝える

◎自分の価値観を気づかせてくれた人に、人は絶対的好意を持つ

キーワードによる「合いの手」テクニックを紹介してきた第3章も、いよいよ最後の項目となりました。

この項目は、意外や意外、この本のなかで一番大事な話だったりもしますから、注意深く読んでくださいね。

さて、148ページで紹介したように、見た目の変化は写真を撮ればチェックできたりするものですが、話した内容についてはそうはいきません。

そこで私は、仕事で会う人、例えば、コーチングをするクライアントさんの話は、

細かくメモをとります。

メモをとるだけではなく、断りを入れて音声を録らせてもらうこともあります。

そうすることで、次にクライアントさんに会う前に、前回のメモを見つつ音声をざっと聞き直してからお会いするようにしています。

これをすることで、本人すら忘れていた話を掘り起こすことができるからです。

「前回、こんなことをおっしゃっていましたけれど、その時から3ヶ月たって少し考えが変わられたんですね」

と伝えることで、150パーセント喜んでもらえます。

もちろん、仕事でなければ、そこまでする必要はありません。

また仕事でない場面で誰かと会ってお話ししたときは、メモをとったり音声を録音したりできないケースが多いと思います。

そういうときは、とにかく、一所懸命相手の話の内容を覚えようとすることです。

会話の内容は覚えようと思わないと、絶対覚えられません。

記憶力の問題ではないのです。気合いというか、気持ちの問題です。

ですから、とにかく集中して相手の話を聞く。

そして、その人と別れたあとに、即行でメモをする。

メモする内容は、**その人が大切にしている「価値観」に関しての話です。**

「仕事よりもプライベートを優先したい人なんだ」

「結果よりも過程を大事にしている人なんだ」

「お金を儲けることよりも、自由でいたいと感じている人なんだ」

「価値観」が会話のなかで垣間見られたときは、必ずメモをとりましょう。

なぜなら、人は、**自分の核になる価値観に気づいたあと、その価値観を判断基準にして生きていくと、必ず人生がうまくいくからです。**

実は「得する話し方」が最終的に目指す境地は、ここにあります。

「核になる価値観」を相手が話した瞬間に、

「へええ！」（は・ひ・ふ・へ・ほの法則）

「仕事よりもプライベート優先なんですね！！」（オウムリターン）

を使うと、相手はハッとした顔をします。そして、その人の全身が反応します。どっと汗が出てくる人もいますし、瞳孔がカッーと見開かれる人もいます。

そうなったら、その人は決してあなたから離れられません。

自分の核になる価値観に気づかせてくれた人のことは、絶対に忘れないし、絶対的に好意を持つからです。大事なことなので、整理しますね。

- **舞台から降りて話を聞く**
- **合いの手を入れる**
- **その人の核になる価値観が出てくる**
- **その価値観をリピートする（合いの手を入れる）**
- **相手が驚く**
- **相手は自分の価値観に気づいて人生がうまくいく**
- **相手が「気づかせてくれてありがとう」と言う**

・感謝される
・気づかせてくれたあなたのために何かをやってあげようと思う
・聞き手であるあなたの人生もうまくいく

この無限ループが動き始めると、あなたはありとあらゆるところから感謝されるようになります。

そして、あなた自身はただ「聞いているだけ」なのに、周りの人たちがよってたかってあなたを幸せにしてあげたいと思ってくれるようになります。

「相手の核となる価値観」に触れたときには、必ずリピートしてあげること、そして絶対に忘れないようにメモすることを覚えておいてください。

得する人がやっている話し方

相手が大切にしている価値観を引き出し、それを伝えると人生は変わる

第4章

リアクションができると、話はこんなに盛り上がる

26

人はリアクションの大きい人に向かって、話をしてしまう

◎リアクションはオーバーくらいがちょうどいい

第3章では、話し手が気持ち良く話ができる相槌の打ち方やキーワードについて解説してきました。

いよいよ第4章では顔や体によるリアクションで、話し手の話を深く引き出す方法についてご紹介していきます。

本論に入る前に、まず覚えておいてほしいことがあります。それは、

聞き手のリアクション次第で、話の内容は大きく変わる

ということです。

よくテレビ番組で、ひな壇にいる出演者や芸人さんのリアクションが映し出されることがありますよね。

あれは私たち視聴者を盛り上げるためもありますが、現場の司会をしている人や話し手さんが気持ち良く話せる環境をつくるためにも行われています。

聞き手のリアクションが良ければ、話し手は大いに盛り上がっていろいろ話せますし、リアクションが乏しければ話す内容も冴えない内容になってしまいます。

しかも、彼ら芸人さんは現場で、私たちが思っている以上にオーバーなリアクションをしています。

そう、**あのくらいオーバーにやって、やっと相手に「リアクションしてる」ことが伝わるレベルなのです。**

「リアクションはとにかく大きく」

これがリアクションをとるときの基本姿勢です。

最初は恥ずかしいと思うかもしれませんが、やり続けるうちに慣れてきます。

とくに、最近増えたオンラインでのコミュニケーションなら、普段の5倍くらい大きなリアクションをしてもいいと思ってください。

リアルで会うとき以上に、オーバーにやるくらいでちょうどいいです。

また、普段の会話でリアクションをしない人は、自分でも信じられないくらいオーバーにリアクションしてくださいね。

それではじめて、相手の目にちらっと入るレベルです（笑）。

では、個別の具体的なリアクションについて解説していきましょう。

得する人がやっている話し方

オーバーリアクションをすることで、相手の話をどんどん盛り上げる

リアクション上手は会話上手
〈ノーリアクションな人〉
……
えーと
話しにくいなあ…
じゃあ
これで……
〈オーバーリアクションな人〉
わあ!!
そうなんですね〜♪
そうなんですよ〜♪
それでね
ペラペラペラ♪
すごいです
ね〜!!
リアクションはオーバーにやるくらいで
やっと伝わる

27 相手の話がいかにすごいかを知らしめる「仰け反りリアクション」

◎人には動くものを目で追いかける習性がある

まず「リアクション」の基本形である「仰け反りリアクション」について解説していきましょう。

1999年に公開されたアメリカの大ヒット映画『マトリックス』を観たことがある人も多いと思います。

映画『マトリックス』では、主人公役のキアヌ・リーブスが銃弾を避けるために体を思いっきり後ろに仰け反るシーンが有名になりました。

私の「仰け反りリアクション」も、まさにあのポーズのイメージです。

リアクションとは「リ」と「アクション」でわけられるように、相手の言葉に「反応（リ）」して、「動作（アクション）」することです。

ですので、あなたも、話し手の話に合わせてキアヌ・リーブスばりの**大きな動作で反応してあげてください。**

自分に、ワイヤーロープがついているくらいのイメージを持ってもらっていいです。

こんなことを言うと、人によっては、「仰け反るなんて、そんな大げさな！」と言う人がいます。

しかし、それくらいのイメージを持ってやっても、リアクションは意外と小さくまとまってしまうものです。

ですから、マトリックスくらい大げさにリアクションするんだ、と思うくらいがちょうどいいのです。

そこに、「は・ひ・ふ・へ・ほの法則」と組み合わせるとすると、

「私、3000人の営業マンがいるなかでナンバーワンの成績をとったことがあるんです」

「へえええええ」（仰け反りリアクション）

「リストラされて5年前まで路上生活者だったのですが、今は1億稼げるようになりました」

「ひいいいいい」（仰け反りリアクション）

あたりが、相性が良いです。

また、後ろに仰け反るのではなく、前にぐっと身を乗り出すのも効果的なリアクションです。
例えば、これは相手の話し方に熱が入ってきたぞ、というときにこちらが前のめりになって聞くと、話し手は気持ちがグッと入って、さらに熱心に話し始めるようになります。

「入社当初の数年間は、営業成績はまったく振るいませんでした」
「そうなんですね」
「ところが、上司が鬼上司に変わって、会社を辞めようかと悩んだ末にもう一回だけがんばってみようと思ったあたりから、急に営業成績が伸び始めたんです」
「ほーーー」（前のめり）

とくに、オンラインであれば、カメラに向かってぶつかるくらいのリアクションが良いです。

なぜなら、**人は動くものを追いかける習性があるからです。**

画面上での前後の動きは、相手の目に止まりやすくなりますし、話している人はリアクションをとってくれるあなたに向かって話すようになります。

ぜひ一度試してみてください。

得する人がやっている話し方

相手の話を最大限に引き出すために、リアクションすることを恥ずかしがらない

リアクションは「大げさかな」くらいがちょうどいい

リアクションが良いと話し手もどんどん熱が入ってくる

28 相手の視界に入るように相槌を打つ「首の可動域3倍の法則」

◎可動域の狭い相槌は、相手の目に入っていないのと同じ

みなさん、相槌を打つとき、どれくらいの領域で首をコクコクさせているでしょうか。

私の感覚では、読者のみなさんの9割は、

「その相槌では、小さすぎます！」

と、言わないといけないくらい小さいと思います。

これは、私の講座に来てくれた人たちの相槌具合を見た経験から言えることなので、おそらく間違いないです。

そこで、まずは今まで打ってきた相槌の3倍くらいの大きさで相槌を打ってみてください。

題して、「首の可動域3倍の法則」です。

話し手からは、案外聞き手の顔や動作が目に入っていません。

なぜなら、**話すという行為は脳のメモリをずいぶんと使うからです。**

したがって、自分が話すこと以外への注意がおろそかになるのは自然なことなのです。

だからこそ、「聞いていますよ」ということが間違いなく相手に伝わるくらいの動きが、相手の視界に入ればとても喜んでもらえるわけです。

そこで、**「相手の視界に入るくらい」の運動量とは、だいたい今の相槌の「3倍くらい」だと覚えてください。**

コツは、**話が盛り上がってくればくるほど、可動域を大きくすることです。**

話が盛り上がるということは、相手がどんどんヒートアップしてきているということです。そうすると、余計に周りを見る余裕がなくなってきます。

そのときこそ、相手の視界に入るための大きなリアクションが必要なのです。

ここでは「ペーシングの技術」（102ページ）も活かしましょう。

早口でしゃべる人に対しては、相槌もロックを聴くノリで打つ。

ゆっくりしゃべる人に対しては、優雅なクラシックを聴くイメージで相槌を打つ。

首の可動域を3倍にしながら、相手にペースを合わせて打つと無敵です。

オンラインであれば、相槌はさらに大きく回数を増やすのがポイントです。

グループでオンライン会議をしているときなどは、大きくうなずいている人が一人いると、話し手はとくに嬉しい気持ちになるものです。

得する人がやっている話し方

相槌は相手のペースに合わせながら、首の可動域を大きくして打つ

相槌は相手の視界に
入ってなければ意味がない
NG事例
明日は○×だ。
わかったか？
はい
……
本当に
わかったか？
はい
一度聞けば
わかるよ
相槌が小さすぎて
相手の視界に
入っていない
OK事例
明日は○×だ。
わかったか？
わかり
ました
よし！
がんばろう！
ふう、
よかった
相槌が大きいから
相手も安心して
話せる

「大げさかな」と思うくらい口角を上げて話すと、いいことが起こる

◎この表情で、あなたもお金持ちになれる⁉

生涯納税日本一の斎藤一人さんの言葉に、「眉毛と口で丸を描け」があります。

これは、**眉尻を下げ、口角はできるだけ上げて、その両方で円を描くくらい笑顔を絶やさないという意味です。**

この表情を意識して話を聞くようにすると、「得する話し方」がレベルアップします。例えば、

「そうなんですね！」

という相槌ひとつでも、口角が上がっているか、上がっていないかで、まったく

印象が変わります。印象のいい口角の上げ方は、簡単です。

完全な逆三角形を、イメージすることです。ポイントは、**自分では大げさだなと思うくらい口角を上げることです。**

志村けんさんのバカ殿の受け口くらいのイメージ、女性であれば、オードリー・ヘップバーン並みのスマイルを意識してみてください。

最初のうちは、口まわりが筋肉痛になるかもしれませんが、慣れてくるとすぐこの表情をつくることができるようになります。

得する人がやっている話し方

この表情をするだけで、相手がどんどん話をしてくれるようになる

30 話に驚いたときに使うと効果的な「目の玉飛び出しリアクション」

◎ミラクルワードと組み合わせてやると、効果は2倍に！

口についてお話ししたところで、目についても触れておきましょう。目というか、目の玉のお話です。

相手の話に驚いたときに**大きく目を見開いて、聞く動作を「目の玉飛び出しリアクション」と言い、非常に効果的です。**

聞き手が驚いた感じは、意外と相手に伝わりにくいものです。ですから、「目の玉飛び出しリアクション」もややオーバー気味にやるといいでしょう。

例えば、眼圧を高めて目玉を前方に飛び出させるようなイメージでやるとちょうどよいです（笑）。

「そんなの聞いたの、初めて！」（目の玉飛び出し）
「最高に面白いです！」（目の玉飛び出し）

という具合にミラクルワードとの相性も抜群です。

目指すべきゴールは、ギャグ漫画などで目の玉が飛び出す、あのシーン。眉毛を上げることを意識すると、自然と目の玉が飛び出します。

目の前に急に金銀財宝が積まれたイメージで、目を見開いてやると良いでしょう。

眉毛を上げることを意識すると、無理なくできて相手にも伝わる

31

話し手を最も勇気づける「笑い3倍モードの術」

◎リアクションの王様と言えば「笑い」。笑いの頻度を高めよう

あらゆるリアクションのなかで、最も話し手を勇気づけるのは「笑い」です。

話が盛り上がれば盛り上がるほど、後ろに大きく仰け反り、首の可動域を大きくし、目の玉を飛び出させ、口角を大きく上げて、笑う頻度を増やしていく。

これが、「得する話し方」のリアクションフローです。

笑う頻度を高めていく。これを私は、「笑い3倍モードの術」と名付けています。

このとき、笑いながら手を叩くとさらに効果が増します。

笑いながら手を叩くというのは、決してエレガントではないのですが、「この人、

とても会話を楽しんでくれているな」という感じが出て、好感度は上がります。

とくに複数で話している場合、場に笑い声の絶えない人やリアクションの大きい人がいると、話し手はその人に向かって話をしようという気持ちになります。

役者さんが、カメラに向かってセリフを言うのと同じです。

いっぽう、真面目な話や深刻な話の場合は、その場に合わせて声のトーンを落として神妙な顔つきになります。

相手の話と話の間に、心のなかで「応援してます」「応援してます」と何度もつぶやきながらうなずいて聞くと良いでしょう。

得する人がやっている話し方

笑いながら手を叩くと、あなたへの好感度はうなぎのぼり

32 人気のセミナー講師を自分のクライアントにする方法

◎「自分がしたい質問」でなく「講師が質問されたがっている質問」をする

ここまで、1対1および1対複数の場合のリアクションについていろいろ解説してきましたが、これらはセミナー受講時でも有効です。

私は、独立して間もない頃、実にたくさんの格安セミナーに参加しました。

とはいっても、セミナーで自分を高めようという意識より、参加者と仲良くなって、自分のお客さんになってもらおうという、よこしまな魂胆のほうが強かったのが本当のところです（笑）。

しかし、「どうすれば自分のお客さんになってもらえるか」については、真剣に考えました。

そこで思いついたのが、「講師の先生と仲がいい雰囲気を醸し出しておけば、お客さんになってくれるかも」というアイデアです。

いわゆる「講師のスタッフ、もしくは友達だと思われる作戦」です。

具体的には、開場と同時にセミナールームに入り、その日講師として来ている先生に、「何かお手伝いすることはありますか？」と聞きます。

すると、講師の先生は、「この会場のスタッフかな？」と勘違いして、「このプリントを配って」「椅子の配置を変えて」といったことを、気軽に頼んできます。

そこで私は、「はい、喜んで！」とやるわけです。

さらにセミナーが始まったら、一番前の席で、

「へえええええ！」（仰け反り）

「ほおおおお！！！」（目ん玉飛び出し）

「大笑！」（笑い3倍モードの術）

といった、オーバーリアクションを繰り出します。

このような、リアクションを一番前でしていると、そのうち、講師のほうも私の顔を見ながら話をするようになります。

そうすると、周りの人も、

「あの最前列の人、講師の友達かな？　あるいはたまたま受講者側の席にいるけれど有名な人なのかな？」

と、勝手に勘違いしてくれるようになります。

そして、重要なのは休憩時間です。

休憩時間は、何の用がなくとも、講師と一緒に演台近くに立っています（笑）。

あたかも講師の友人かのように、ぴたっと寄りそうのです。

読んでいる人のなかには、いくらなんでもそれは新井、おかしいだろうと思う人もいるかもしれませんが、意外と誰にも注意されないものです。

講師のほうも「ちょっと変わった受講者だな」くらいには思っているでしょうが「そこをどいて」とまでは言いません。

そして、きわめつけは質疑応答の時間です。

ここで、一気にセミナー講師からの信頼を得ます。

具体的には、**「自分がしたい質問をするのではなく、講師が質問されたがっていること（＝講師が一番伝えたいこと）を質問する」のです。**

この質問を繰り出すと、講師は、「よくぞ！　よくぞ聞いてくれた！！」という表情になります。

そして、セミナーのあとには、「場を盛り上げてくれてありがとう」と声をかけてもらえますし、場合によっては、「このあと、飲みに行く？」と誘われたことも、一度や二度ではありません。

こうやって知り合った講師の方が、今は私のクライアントになっているケースもあります。

仮に、講師に声をかけてもらえなかったとしても、セミナーを聞いていた人たちからは一目置かれる存在になっています。

ですから、セミナー後に名刺交換などをすると必ず、「どんな仕事をしているの？」と聞かれて、そのうちの何人かはクライアントになってくれたものでした。

では、どんな質問をすれば相手は、「そう！　それを聞いてほしかったんだ！」と思ってくれるのか。

どんな自己紹介をすれば相手は、「うわー！　新井さんにまた会いたい！」と思ってくれるのか。

5章、6章で、お話ししましょう。

得する人がやっている話し方

「得する話し方」でセミナーを盛り上げれば、講師が自分のクライアントになってくれる

第5章

聞きたいことが
100%引き出せる
魔法の質問術

33 この「質問」をすれば話は勝手に広がっていく

◎得する話し方がより効果的になる「質問の仕方」

3章では、話し手の話が自然と盛り上がる相槌と言葉の使い方を紹介しました。

4章では、「得する話し方」をレベルアップさせるリアクションを解説しました。

いよいよ、本章では聞き手が聞きたいことが100%聞き出せる質問術を紹介します。

さて、ここまで読んで、あることに気づいた方がいらっしゃったとしたら、とてもすごい方です！

あることとは何か？

それは、**ここまでほぼ「話し方」について何も解説していない**ということです。

「へー」「ほー」といった「オウムリターンの法則」と、「そんなの聞いたの初めてです！」「めっちゃ面白いです！」などのたった数個の定型文、そしてリアクションしか紹介していません。

ただ、これだけをマスターするだけでも十分、あなたの人生は変わります。

話し手と一緒に舞台に上がることをやめただけで、あなたはすでに、1割の得するメンバーの仲間入りを果たしているからです。

ですから、ここから先は、さらに得したい人だけが読んでください。

5章以降は、少しだけレベルが上がります。

といっても、小学校1年生レベルから、小学校高学年レベルに上がるくらいのものですからご安心ください。

では、ワンランク上の質問術についてお話ししていきましょう。

◎初対面の人と話すのがラクになる「4S質問」

初対面の人と話すのは、誰しもなんとなく億劫なものです。

何の話から切り出せばいいのか。天気の話なのか、昨夜のニュースなのか、はたまた仕事の話から入るのか……。

人見知りがひどかった頃の私は、初対面の人と話をしなくてはいけないシチュエーションになると、とんでもなくパニクっていました。

でも今は、自然に会話を進めることができます。

それは、**最初に聞くことを、決めてしまったからです。**

誰でも答えやすく、しかも一度会話がスタートしたら、あとは合いの手とリアクションだけでどんどん会話が進む質問というものがあります。

それが、「4S質問」です。

4Sとは、その名のとおり「4つのS」を指します。

・住処（SUMIKA）
・出身（SHUSSIN）
・仕事（SHIGOTO）
・趣味（SYUMI）

これらの質問はいずれも、話し手の心の扉を開いてもらうための質問です。
では、まず使い方から見ていきましょう。
最初は住処と出身です。
人は、自分の歴史やルーツを聞かれると嬉しいものです。
「住んでいるところはどちらですか？」と聞かれると、つい答えてしまいます。

聞き手 **「住んでいるところはどこですか？」（住処の質問）**
相手　「東京の西の方なんですよ」
聞き手 **「東京の西の方なんですねー」（オウムリターン）**

相手　「けっこう田舎なんですけれどね」
聞き手 **「田舎なんですかー」（オウムリターン）**

と、オウムリターンを入れるだけで、どんどん会話は展開していきます。
もっと話を広げたいときは、共感ワードを入れていくといいでしょう。

聞き手 **「ご出身はどちらですか？」（出身の質問）**
相手　「仙台なんですよー」
聞き手 **「仙台、いいところですよね」（共感ワード）**
相手　「お好きですか？」
聞き手 **「はい、何度か旅行で行ったことがあります」**

という具合です。

ここで言うと**「仙台、いいところですよね」という言葉が共感ワードで、話を広げるワードになります。**

もし、その土地にまったく興味がなかったり、土地勘がない場合は、

「そこってどのあたりなんですか？」

「どんな雰囲気の場所なんですか？」

「何歳くらいまでいらしたんですか？」

などといった質問でつなげるのもいいでしょう。すぐに共感ワードが見つからないときは、オウムリターンで返していけば大丈夫です。

さて、ここまで読んでくださっているみなさんはお気づきかと思いますが、「住処」と「出身」に関する質問のポイントは、**「どこに住んでいるか」「どこの出身か」を聞いておきながら、それを正確に把握することが目的ではないことです。**

「私は、あなたのバックボーンに興味がありますよ」という態度を示して、相手の

心の扉を開いてもらうことにあります。

ですから、相手から聞いた場所に対して知識豊富である必要はありません。ただただ、あなたのことを知りたいですという空気感が伝われば、十分です。

◎「あなたに興味があります」を示す「仕事」と「趣味」の質問

さて、ここまできたら、さらに相手の心の扉を開く質問をしていきましょう。残りの2つのS「仕事」と「趣味」の話です。

これは、**「私は、今現在のあなたに興味がありますよ」ということを示すための質問です。**

人はいつでも今を生きています。ですから、過去に興味を持ってもらうのと同じか、それ以上に、今の自分に興味を持ってもらえることは嬉しいものです。

ですから、仕事であれば、

「どんなお仕事をしていらっしゃるのですか?」

趣味であれば、

「どんなことがお好きなんですか?」

「最近ハマっていることってありますか?」

などと聞きます。

聞き手 **「どんなお仕事をしていらっしゃるのですか?」(仕事の質問)**
話し手 「車の営業です」
聞き手 **「車の営業なんですね」(オウムリターン)**
話し手 「はい、そうです。ノルマがきつくて大変なんです」
聞き手 **「なるほど、ノルマが大変なんですね」(オウムリターン)**

ある程度、お互いの自己紹介が終わったら、そこから先はこれまでと同じです。

自分の話をしすぎないように、できるだけ相手に話をしてもらうように、合いの手とオウムリターンを意識するのが大事です。
あくまで「4S質問」はとっかかりです。
話を広げたあとは、聞いて聞いて聞きまくる。「9割は聞く」の精神でいきましょう。

得する人がやっている話し方

「4S質問」をとっかかりに、話題をどんどん広げていく

「4S質問」で「私はあなたに興味ありますよ」
ということを伝える

34 「4S質問」がうまくいかないときは、横スライド質問で相手の感情を探る

◎「4S質問」がきかない相手には、身近な質問をしよう

多くの人は、自分の出身地や仕事、趣味などを聞かれたらきちんと答えてくれます。

しかし、人によっては、4Sについて質問をしても、まったく感情の動きが見られず、話が進まない人がいます。

とくに、今やっている仕事や趣味について、芳しい答えが返ってこないときは、質問を横スライドさせましょう。

例えば趣味であれば、

「他にも何かやってらっしゃること、あったりします？」

とか

「最近よく行く場所とかあります？」

という具合に、4S質問を横スライドさせます。

それでも、

「何もしていないんです」

と返ってくるケース。

これは、本人的に「(人様に誇れるようなことは)何もしていない」という意味であって、本当に何もせずに生きているわけではありません。

こういう人の場合は、

「どんな映画を見てますか？」

「どんな音楽を聴いてますか？」

「お家ではどんなことしてますか？」

と身近な質問に切り変えていきましょう。

なかには、仕事の話に限って反応が悪い人もいます。

失業中だったり、今の仕事が嫌な人は、この質問への反応が鈍くなります。

こういう人の場合、

「何かしてみたい仕事ってあったりしますか？」

とスライドすると、反応があったりします。

例えば、「いずれはデザインの仕事をやりたいと思っています」と返ってきたりします。

このように4Sを中心にして質問をしていると、**どこかのタイミングで相手の感情が動く瞬間があります。**

少し声が大きくなったり、表情がやわらかくなったり、楽しそうに見えたり……。

そういうときが、相手の感情が動いた瞬間です。

それがわかったら、その内容について深掘りしていきましょう。

質問をずらすのが「横スライド質問」だとしたら、深掘り質問は「縦スライド質問」です。

「縦スライド」については、次の項目で詳しくお話しします。

得する人がやっている話し方

横スライド質問で相手の感情が動いた瞬間を見極める

35

自分のほうが詳しい話であっても、知らないふりをして聞きなさい

◎縦スライド質問をするときは、「5W1H」を使う

相手の「このことについては興味がありそうだ！」と気づいたら、質問を縦にスライドしていきます。

どのようにするかというと、学生時代に習った**「5W1H」を使います**。

5W1Hとは、**「Who（だれが）、When（いつ）、Where（どこで）、What（何を）、Why（なぜ）、How（どのように）」**を示す言葉でした。

趣味に、5W1Hを使って縦スライド質問をするとしたら、こんな感じです。

聞き手 **「最近ハマっていることはありますか?」(What)**
話し手「ドローンにハマってるんですよ」
聞き手 **「へえー、いつからですか?」(When)**
話し手「去年の夏くらいからですね」
聞き手 **「何かきっかけでも?」(Why)**
話し手「友達に誘われたんですよね」
聞き手 **「友達に誘われたんですね。どこでやるんですか?」(Where)**
話し手「家の近くにドローンを飛ばす人が集まる場所があるんですよ」
聞き手 **「へえー、どんなふうにやるんですか?」(How)**

これに、2章、3章で紹介した合いの手とリアクションを追加すると、こんな感じになります。

聞き手**「最近ハマっていることはありますか？」（What）**

話し手「ドローンにハマってるんですよ」

聞き手**「へえぇ、ドローンが趣味の人って、初めて聞きました！　いつからですか？」（は・ひ・ふ・へ・ほの法則&目の玉飛び出し&ホメホメ&When）**

話し手「去年の夏くらいからですね」

聞き手**「夏くらいですか、なにかきっかけでも？」（オウムリターン&Why&前のめり）**

話し手「友達に誘われたんですよね」

聞き手**「へえぇ！　お友達に誘われたんですね。どこでやるんですか？」（は・ひ・ふ・へ・ほの法則&オウムリターン&Where）**

話し手「実は、この近くにドローンを飛ばす人が集まる場所があるんですよ」

聞き手**「へえぇ！　そんなの初めて聞きました！　どんなふうにやるんです**

か?」(は・ひ・ふ・へ・ほの法則&仰け反りリアクション&ホメホメ&How)

「縦スライド質問」をするときは、文字通り相手の話を**どんどん深堀りしていくイメージを持って聞きましょう。**

あなたが相手に意見をしたり、アドバイスをする必要はありません。

ひたすら、5W1Hをもとに、質問を繰り出していけばOKです。

ただ、時折、聞いたことについて相手より自分のほうが詳しいケースがあります。

そのときは、まったく知らないふりをして、縦スライド質問でじっくり相手の話を聞いてください。

相手よりあなたのほうが詳しいことがわかってしまうと、相手が急に萎縮してしまうことがあるからです。

間違っても会話泥棒をしたり、「私の場合は〜」などと、同じ会話の舞台に上

がってはいけません。

これは、どんな話にも言えることですが、どんなに自分のほうがそのことについて詳しかったとしても、人から聞く話にはまた新しい発見があるはずです。

相手の話から宝を探すつもりでひたすら傾聴していると、それまで気づかなかった発見ができます。

ですので、自分の話は極力せず、相手に話をさせる。

相手と絶対に同じ舞台に上がらない。これをキモに銘じてください。

得する人がやっている話し方

人がする話には
いつも新しい発見があると思って聞く

第6章

実践！「100％得する話し方」

36

「得する話し方」の成功パターンと失敗パターンを教えます！

◎話し方で得する人、損する人、その差はココだ！

ここからは、3～5章で培った、合いの手、リアクション、質問を織り交ぜながら、相手に気持ち良く舞台で演じてもらう会話例を紹介していきます。

とくに、「よくあるパターンで失敗している会話例」「意外かもしれないけれど得している会話例」などを、シチュエーションごとに紹介します。

もちろん、このまま真似したからといってその通り会話が進んでいくわけではありませんが、「なるほど。こんな感じか。これなら、自分もできそう」と思ってもらえたら嬉しいです。

◎興奮気味に話しかけてきた人には、オウムリターンで頭のなかを整理してもらう

興奮している人と話すときは、オウムリターンが有効です。
次の例のように、上司が多少興奮気味だったとしても、オウムリターンをしていると自然に落ち着いていきます。さっそく見ていきましょう。

（NGパターン）

上司「新井くん！　新井くんのアメリカ出張について、総務が却下してきた！」
新井**「それは困りますね！」**
上司「そんなのは前例がないからできないって‼」
新井**「いや、そこはなんとかしていただきたかったですね」**
上司「そうは言ってもなかなか……」

新井「**この会社は営業で成り立ってるのに！　部長からも強く言ってください**」
上司「何を言ってるんだ君は。そこまで言うなら、自分で言ってきなさい」

（OKパターン）
上司「新井くん！　君のアメリカ出張について、総務が却下してきた！」
新井「**却下されたんですね**」（**オウムリターン**）
上司「そんなのは前例がないからできないって！」
新井「**前例がないんですねー**」（**オウムリターン**）
上司「そんなこと言ってたら、キリないよね。この会社は営業で成り立っているんだから」
新井「**そうですよね、営業が支えてますすよね**」（**オウムリターン**）
上司「やっぱりそうだ！　よし、もう一度掛け合ってみるぞ！！」
新井「よろしくお願いします」

ＯＫパターンを見るとおわかりの通り、新井くんは何ひとつ意見を述べていません。ただただ上司の言葉を繰り返しているだけです。それだけで上司は新しい気づきを得て、勇気づけられ行動を起こします。

このように、**オウムリターンには、相手の頭のなかを整理させる効果があります。**

心理学的に言うと、**人は自分の頭をすっきりさせてくれた人に感謝する気持ちが湧く傾向にあります。**話し手が「嬉しかったから、お返しをしたい」と思うわけです。

これが得する話し方の最たる例です。

得する人がやっている話し方

オウムリターンで相手に頭のなかを整理してもらうと、ご褒美がもらえる

37

すぐキレる人にはオウムリターンで、自分のムチャさ加減に気づいてもらう

◎オウムリターンをすると、なぜ話し手は自分の矛盾に気づくのか？

すぐにキレる上司や、パワハラぎみの先輩も、オウムリターンがよく効きます。

（NGパターン）

上司「新井、この客先に行って事情説明してきて」
新井「**どんな説明ですか？**」
上司「とにかく謝ってきて！」

新井「**今、仕事で手一杯なんですけど**」
上司「お前に断る権限はない！！　早く行ってこい！！」
新井「**ううぅ、は、はい**」

（OKパターン）
上司「新井、この客先に行って事情説明してきて」
新井「**はい、事情説明ですねー**」（**オウムリターン**）
上司「この客先、めちゃめちゃ怒ってるから」
新井「**なるほど、めちゃめちゃ怒ってるんですね**」（**オウムリターン**）
上司「うーん、お前では荷が重いかもな……別の人に行ってもらうか」

怖い上司ほど、オウムリターンはよく効きます。なぜなら、**自分が無理難題を言っていることが、オウム返しによって露呈するからです。**

そして、こちらがオウム返しをしているうちに、相手が黙り始めます。

ポイントは、**相手を辱めてやろうとか、矛盾をついてやろうといった、いじわるな気持ちを持たないことです。**

相手を話の舞台の上に立たせて、こちらは下からひたすらスポットライトを当てている様子を想像して会話しましょう。

こういうときも、「この人、もうすぐ死ぬのにな」というイメージがとてもよく効きます。「この上司、いずれ死ぬのに、一所懸命僕に時間を使って怒ってくれている」と思えば多少は留飲が下がるはずです。

得する人がやっている話し方

オウムリターンで相手の矛盾に気づかせると、相手が勝手に改善する

パワハラ上司はオウムリターンが有効
NG事例
新井、この客先に行って事情説明してきて
どんな説明ですか？
とにかく謝ってきて！
今仕事が手一杯で
いいから早く行ってこい！
……
OK事例
新井、この客先に行って事情説明してきて
はい。事情説明ですね
この客先めちゃくちゃ怒ってるから
めちゃくちゃ怒ってるんですね
お前では無理か～誰か他の人いないかな
よかった～
ムチャを言う人にはオウムリターンで
自分のムチャさ加減を知らしめる

38 部下や生徒と話すときは、自分の意見を一切差し挟まない

◎人は他人が言ったことではなく、自分が言ったことに納得して、行動を起こす

コーチングを展開している会社が、世界15ヶ国（地域）を対象に行った調査によると、日本は中国や香港、タイに次いで部下より上司のほうが話している時間が長いというデータがあります。

このデータからもわかるように、自分のほうがよく知っている、わかっていると思いがちの上司ほど、つい自分の話をしてしまいがちです。

ですから、あなたより立場が下になる部下や生徒と話すときは、意識的に「相手

に話をさせる」ようにしましょう。
次の事例は、私の生徒さんのNさんが、実際に部下と交わした会話例です。

（NG事例）

部下　「部長、A社へのプレゼンの準備で朝までかかってしまいまして。今、眠たいです」
Nさん　**「は？　徹夜するなんて聞いてないよ」**
部下　「すみません、でもかなりいい出来に仕上がりました！　見ていただけますか？」
Nさん　**「（話を遮って）バカなの？　そんな出来より、接待で一発だよね」**
部下　「いや競合もありますし、今はそんな時代では……」

この会話のあと部下は会社を辞めていき、案件も逃してしまったと言います。

では、Nさんは、どんなふうに対応すればよかったのでしょうか。

（OK事例）

部下　「部長、A社へのプレゼンの準備で朝までかかってしまいまして。今、眠たいです」

Nさん **「朝までかかったんだー」（オウムリターン）**

部下　「すみません、でもかなりいい出来に仕上がりました！」

Nさん **「いい出来になったんだね」（オウムリターン）**

部下　「競合もいますので、練りに練ってみたのです！」

Nさん **「へー！　練りに練ったんだー。がんばったね！」（は・ひ・ふ・へ・ほの法則＆オウムリターン＆ホメホメ）**

部下　「はい！」

このような会話ができれば、部下のモチベーションは上がりますし、部下の成長にもつながります。

次は先生と生徒の場合を見ていきましょう。

（NG事例）

先生「進学先は、どこの大学を考えていますか？」

生徒「●●大学の医学部を考えています」

先生「うーん、今の君の成績では難しいなあ。もっと勉強しないと」

生徒「やっぱりそうですよね」

先生「どうして医学部に行きたいの？」（Why）

生徒「お医者さんって、なんかお金儲かりそうだし……」

先生「いやいや、実際には大学病院も開業医も大変だって言うよ」

生徒「……」（二度と相談しません）

（OK事例）

先生「進学先は、どこの大学を考えていますか？」

生徒「●●大学の医学部を考えています」

先生「ほー、医者になりたいんだー。どうして医者になりたいの？」（は・ひ・ふ・へ・ほの法則&Why）

生徒「カッコよくてお金も儲かりそうです！」

先生「カッコよくてお金も儲かりそうなんだー」（オウムリターン）

生徒「人の命に関わる仕事で、僕、誰かの役に立ちたいんです」

先生「へー！　人の役に立ちたいんですね」（は・ひ・ふ・へ・ほの法則&オウムリターン）

生徒「そうなんです！　がんばります！」（やる気出てきた！！！！）

自分の部下や生徒であったとしても、相手に9割話をさせる。
そうすると、自分で考えて自分で納得し、自ら行動を起こすようになります。
注意すべきは、**あなたの意見を挟まないこと。**
自分で考えて行動した結果については、人は前向きにとらえることができるため、
聞き手の意見は必要ないのです。

得する人がやっている話し方

**部下や生徒は9割話をさせると、
自発的に動くようになる**

39 見込み客と話をするときは、いったん商品のことは忘れなさい

◎4S質問を皮切りに、話が盛り上がることだけに集中して話す

見込み客と話をするときは、最初から商品の話をしない。これが鉄則です。

まずは4S質問を手掛かりに、相手の近況を聞き出すことから始めましょう。

大事なのは、**「相手の人生にスポットライトを当てる」に意識を集中すること。**

つまり、**いったん商品のことは忘れてしまうこと**です。

その見込み客が喜ぶこと、豊かになることだけを考えて、話を聞くことです。

では、さっそく見ていきましょう。

（NG事例）

営業マン「今日はよろしくお願いします」
見込み客「こちらこそよろしく」
営業マン「今日はいい天気ですね」
見込み客「そうだね」
営業マン「さっそくではございますが、弊社サービスの提案資料を持ってきました。説明させてもらってよろしいですか？」
見込み客「とくに困ってないのだがね」
営業マン「そうですか。そこをなんとか説明させてください」
見込み客「……」（二度と来るな！）

見込み客と話すときに有効なのが、5W1H質問です。相手が大事にしている価値観を洗い出すことで、感謝され、結果的に営業もうまくいきます。

（ＯＫ事例）

営業マン「このたびはまことに貴重なお時間をどうもありがとうございます（頭を丁重に下げる）」（三角巾のイメージ）

見込み客「いえいえ、こちらこそ」

営業マン「貴重なお時間をいただいて恐縮ですが、●●さん、最近調子はいかがでしょうか？　どんなことされてるんですか？」（Ｗｈａｔ）

見込み客「いやー、もう調子が良いやら悪いやら、仕事はたくさんあるんですがね。最近の若い者はマイペースな人が多いというか」

営業マン「マイペースな人が多いんですねー」（オウムリターン）

見込み客「そうなんだよー。お客様との会食があってもプライベートで用事があるって帰るし、注文はチャラいカクテルを頼むし……」

営業マン「そうなんですねえ～。最近の若者は帰るんですね」（オウムリターン）
見込み客「昔の話をしちゃいけないと思うんだけど、お客様からの飲みの誘いは契約の最終ステップでしょ。喜び勇んで行ったものだけどねえ～」
営業マン「そうなんですかー。契約が取れそうなときは、喜んで会食に行くんですね～勉強になります！」（オウムリターン&ホメホメ）
見込み客「そーーーーーなんだよー、わかってくれるかね！　飲みニケーションこそ営業の最終奥義なんだよ！」
営業マン「最終奥義なんですね！」（オウムリターン）
見込み客「君は話のわかる男だね、君の提案してたアレ、お願いしようかな」
営業マン「えっ！　いいんですか！　御社のような営業の強い会社にこそ必要なサービスです！　ありがとうございます！」
見込み客「で、価格はいくらだっけ？」

ここでの「勉強になります」は、「そんなの聞いたの、初めてです」とほぼ同じ意味合いです。

Ｗｈａｔ質問で見込み客の価値観（飲みニケーションは営業現場では非常に大切）を洗い出し、「勉強になります」で相手の価値観を肯定する。

この一連の流れによって、見込み客と営業マンとの距離がグッと縮まり、最後は営業マンが何も言わないのに商品に興味を持った。

少し高度な技ですが、ぜひ試してみてください。ウソのように営業がうまくいきますよ。

得する人がやっている話し方

相手の価値観を洗い出し肯定すると、100%「YES」が引き出せる

見込み客と話すときは 自分から商品の話をしない

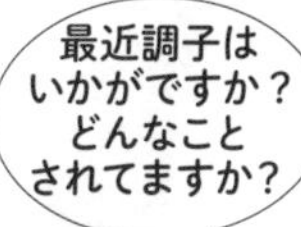

40 接客では5W1H質問で、お客様が気づいていない望みを引き出す

◎お客様自身が、真の望みに気づいていないことも少なくない

接客の場合も、まずはお客様の話を聞くところから始めます。

商品を何のために使いたいのか。どんなふうに使いたいのか。5W1H質問で、相手が大事にしている価値観を引き出し、話を広げていきます。

〈NG事例〉

お客さん「すみません、パソコンを買いたいんですが……」

店員　**「いらっしゃいませ。良い機種があるんですよ〜」**
お客さん「そうなんですね」
店員　**「この秋、ハイスペックパソコンが限定モデルで出ておりまして、CPUも最新で筐体もモダンなツヤのあるブラックで……」**
お客さん「うーん、よくわかりませんので、また出直します」

(OK事例)
お客さん「すみません、パソコンを買いたいんですが……」
店員　**「いらっしゃいませ。何にお使いのご予定ですか?」(What)**
お客さん「インターネットビジネスを始めようと思っています」
店員　**「インターネットビジネスですか〜。すごいですね! 差し支えなければ、どんな使い方をする予定か教えてもらえますか?」(オウムリターン&ホメホメ&How)**

お客さん「カフェで使いたくて……」
店員「**カフェで使いたい！　いいですね！**」（**ホメホメ&オウムリターン**）
お客さん「前から憧れていたんです。家だと子どもがいて制約が多いので」
店員「**前から憧れていらっしゃったんですね**」（**オウムリターン**）
お客さん「はい、そうなんです！　なのでノートパソコンが欲しいんです」
店員「**わかりました！　ノートパソコンといえば今、ハイスペックな限定モデルが出ていまして……**」
お客さん「買います！」

得する人がやっている話し方

5W1H質問でお客様の真の望みを引き出せば、最適なものが提供でき感謝される

第6章

実践！「100％得する話し方」

接客のうまい人は5W1H質問を上手に使いこなす

セミナーや交流会会場では、あえて自分をアピールしようとしない

◎みんながアピールしたい場だからこそ、「舞台から降りる人」が輝く

交流会やセミナーで、参加者同士が盛り上がり、仕事に発展するケースはよくあります。

こうした場での出会いを、仕事や人生に活かせる人、活かせない人がいますが、これもやはり話し方がポイントとなっています。

交流会やセミナーといった誰もが自分をアピールしたい場所であるからこそ、普段以上に「舞台から降りること」「スポットライトを相手に当てること」を意識するとうまくいきます。
セミナー会場で知り合った人同士の会話例をもとに、見ていきましょう。

（NG事例）

Aさん「こんにちは！　私、Webのマーケッターをやっていまして、名刺をお渡ししてもいいですか？」
Bさん「はい」
Aさん「いろんな人のマーケティングをお手伝いしているので、もし周りで困っている人がいたら、ぜひご紹介くださいね」
Bさん「はい……」（厚かましいなあ）
Aさん「あ！　フェイスブックやっていますか？　僕の活動、フェイスブックに載せていますので、のちほど友達申請しますね～」
Bさん「……」（この人には何があってもお願いしない）

（OK事例）

Aさん「こんにちは！　どちらから来られたんですか？」（Where）

Bさん「横浜です」

Aさん「横浜なんですね〜。大好きな土地です」（ホメホメ）

Bさん「ありがとうございます」

Aさん「お仕事、何されているんですか？」（What）

Bさん「YouTuberをやっています」

Aさん「ひー！　今をときめくYouTuber！！　素敵です！」（は・ひ・ふ・へ・ほの法則&オウムリターン&ホメホメ）

Bさん「あなたは何をされているんですか？」

Aさん「Webマーケッターをやっています」

Bさん「Webマーケッターですか！　集客に困っていまして今度相談に乗って

くださいますか」

Aさん「喜んで！」

得する人がやっている話し方

自分をアピールするのではなく、相手に話をさせると、相手もあなたに関心を持つ

42 「得する話し方」をマスターすると、なぜこんなにモテるようになるのか？

◎仕事相手も恋人も同じ。人は、自分の話を真剣に聞いてくれる人を好きになる

私の生徒さんのなかには、「得する話し方」をマスターしてから、モテモテの生活を送っている人がたくさんいます。彼らはどんな会話をしているのか？

仕事終わりの食事デートを、事例に見てみましょう。

彼氏が話し手、彼女が聞き手です。

（NG事例）

彼氏「今日も仕事大変だった〜」
彼女「私も大変だった〜」
彼氏「お客さんからクレームがあってね、俺のせいじゃないのに、窓口である俺にめちゃ怒ってきたんだ」
彼女「そうなんだ〜。私も今日お客さんに怒られて凹んでる」
彼氏「そうか〜」
彼女「泣きそーになったから慰めて！」
彼氏「いやいや、誠心誠意謝ったら逆に評価上がるよ、俺、今日そうやったし」
彼女「無理無理、私、謝りたくない！」
彼氏「そうか……」（せっかく俺のいい話をするはずだったのに……）

（ＯＫ事例）

彼氏「今日も仕事大変やったわ〜」

彼女「大変だったんだ〜」（オウムリターン）

彼氏「そう、お客さんからクレームがあって、自分のせいじゃないのに、窓口である俺にお客さんがめちゃ怒ってきてね」

彼女「えええええ!?　自分のせいじゃないのに？」（オウムリターン）

彼氏「そうなんだ。お客様が怒るのは無理ないけど、実際にポカした後輩は素知らぬ顔。いっぽう俺は平謝り……」

彼女「そっか〜大変だったね。自分のせいじゃないのに謝れるってすごい」（共感ワード＆ホメホメ）

彼氏「ほんとに。でもね、俺の誠意大将軍ぶりと迅速な対処でお客様も気が収まってさらに信頼を寄せてくれてね……ふふふ」

彼女「へええええ、やるじゃん〜」（は・ひ・ふ・へ・ほの法則＆ホメホメ）

彼氏「ありがとう！　窓口は俺がいないと成り立たないんだ（笑）」

彼女「ほーほー」（は・ひ・ふ・へ・ほの法則）

得する人がやっている話し方

恋人やパートナーの話も9割相手に話させると、絆がより深まる

43 しゃべらないのに印象に残る「自己紹介」のつくり方

◎「自己紹介」は60秒くらいがちょうどいい

自己紹介が苦手という人は少なくありません。

しかし、学校、職場、セミナー、懇親会、旅先……いついかなる場面で自己紹介が求められるかわからない今、効果的な自己紹介ができれば好感度は上がり、もっと話がしたいと思ってもらえる確率はグンと上がります。

そこで、私の講座でも教えている、**「しゃべらなくても印象に残る自己紹介のつくり方」**をご紹介しましょう。

新井流自己紹介のポイントは、**とにかくしゃべりすぎないこと、これに尽きます。**

講座では、5秒、30秒、60秒バージョンの自己紹介をつくっています。

60秒以上の自己紹介はいらないからです（なぜ60秒以上はいらないかは、のちほどご説明いたします）。

では、さっそく見ていきましょう。

①　自分は何者か
②　自分が仕事や人生で関わりたい人（ターゲット）
③　そのターゲットが抱えている課題
④　そのターゲットが問題を解決するために自分が持っているスキル
⑤　その人の問題を自分のスキルで解決したときに出る価値
⑥　相手と自分が関わったらどんないいことがあるのか
⑦　ビジョン（世の中をどうとらえているか）

この7つの要素を組み合わせて60秒でまとめることができると、かなりすっきりした自己紹介ができます。

ちなみに、私の60秒バージョンの自己紹介はこれです。

神戸からきた新井と申します（①）。

私は普段夢を具現化するメンタルコーチというものをやっていて（②）、毎日毎日やりたいことがあるけどやれないとか、やりたいことが見つからないという人（③）に1対1のコーチングをしてやりたいことを洗い出して（④）、実際にやってもらえるサポートをしています（⑤）。

私のコーチングは、けっこう高確率でやりたいことがやれるようになるっていうのが特長で（⑥）、みんながそれぞれ元気になって周りの人も元気になって、日本が元気になるってことを目的に日々活動しております（⑦）。よろしくお願いします。

これを①＋②だけにすると5秒バージョン、①＋②＋③＋④＋⑤だと30秒バージョンになります。

いかがでしょうか。

一度つくってしまえば何回でも使えますし、自己紹介のたびに何を話すか緊張する必要もなくなるので超おすすめです。

さて、先ほど、60秒以上の自己紹介はいらないと申し上げましたが、それには理由があります。

なぜなら、人は、そんなに長く人の話を集中して聞いていられないからです。

人の短期記憶は、数十秒くらいだと言われています。ですから、長く話せば話すほど相手の記憶に残らないのです。

ある実験データによると、人に自己紹介をされて、この人いいなと思うまでに要する時間は40秒程度だそうです。

より詳しく解説すると、

・この人の話を聞きたいなと思ってジャッジするまでに、だいたい7秒
・次に真剣に聞き始めて10秒程度
・この人とつながりたいなと思うまでに、さらに10〜20秒

ですから、わずか30〜40秒の間に人は、「この人ともっと話をしてみたい」と思うかどうかを決めているのです。

先日もある女性の生徒さんが、パーティーで自己紹介をする機会があったそうです。

そのとき、たくさんの人が自分をこれでもかとアピールしたらしいのですが、短く余韻（よいん）を残して自己紹介を終えた彼女に、一番人が集まってきて、

「具体的にはどんな仕事をしているのですか？」

「もう少し詳しく話を聞かせてください」

となって、仕事につながったと聞きました。


自己紹介は2分も3分も話さなくていい。60秒くらいがちょうどいい。

覚えておいてくださいね。

得する人がやっている話し方

自己紹介では、7つの要素を踏まえて60秒で話せば、聞いている人のほうが寄ってくる

【おわりに】「得する話し方」をマスターすることで、人生が好転する理由

本書を、最後まで読んでくださり、まことにありがとうございました。

一気に読んでこれから実践してみようという人もいれば、実践しながら読んで、ここまでたどり着いた人もいるかもしれませんね。

本書を書き終えた今、しみじみ思うことがあります。

それは、**私の話下手の原因はすべて「自己肯定感の低さにあった」ということです。**

「どうせ僕は、しゃべったって面白くないやつだと思われてるに決まっている」

「どうせ僕の言うことなんて誰も聞いてやしない」

「僕は何をやってもうまくいかないし、ダメでどうしようもないやつなんだから」

このとんでもなく低かった自己肯定感を補うために編み出したのが、

「会話の舞台から降りて、観客席から話し手にスポットライトを当てる」

でした。

今、編み出したなんて格好のいいことを言いましたが、実際は、自己肯定感の低かった私が、舞台に上がり慣れている話上手な人と渡り合うには、いや、戦わないようにするには、自ら舞台を降りる、これしか選択肢はなかったのです。

話の舞台を降りて、話している人を応援する側に回る、これが自己肯定感の低さをカバーする最善の方策だったのです。

ところが、この方法を編み出したおかげで、話し手の自己肯定感はどんどん高まっていきました。結果、私の自己肯定感もどんどん高まっていきました。

おかげで、今では何千人の前でも臆することなく堂々としゃべれるようになりましたし、1対1の沈黙もまったく怖くなくなりました。

結局、「100%得する話し方をマスターする」=「自己肯定感を高める」ということだったのです。

自己肯定感の高い人は、人とコミュニケーションを取るときに無理をしません。

相手の言い分をよく聞いてから自分の話をする、考えを述べる、ということができるからです。

だから、安心して相手は話をしてくれますし、信頼もしてくれる。そしていい結果が出る。

そうして、相手から絶大な信頼を得たあなたにも、どんどんいいことが起こる。

だからみるみる自己肯定感が上がっていく。こういう循環が起こるのです。

私自身、この「得する話し方」を手に入れたことで本当に人生が変わりました。


「ずっと嫌いだった自分のことを好きになれた。幸せだなあ」

「知り合いがこの会話術を身につけて幸せになった。幸せだなあ」

「やりたいことを我慢してきたけど、我慢しなくていいってことに気づいた。幸せだなあ」

おわりに

「みんなが笑顔になる。幸せだなあ」

「誰かが誰かを幸せにしているところを見られるなんて幸せだなあ」

「みんなが人生がんばっていることを知れるなんて幸せだなあ」


みんながもがきながらも一所懸命生きていることを知ると、人が可愛く愛しく感じ、人のことがどんどん信じられるようになるのです。

なんだか偽善者みたいですが、人生の幸せって、こういうことかもしれない。

今、心の底からそう思っています。

人はみな毎日毎秒歳をとっています。私は今この瞬間が一番楽しいと言い切れます。40歳を過ぎてそれを堂々と言えるようになったことが、とても嬉しいです。

自分なんて生きている価値があるのだろうかと長く思い悩んでいた私が、です。

今だから明かしますが、最初、この本を書くことにためらいがありました。

この「100%得する話し方」は、私のみならず、私の生徒さんたちもみんな実践して成功しているいわば「秘密のレシピ」みたいなものです。

誤解を恐れずに言えば、自分の人生をかけて編み出した最終奥義を、１４００円で公開するなんてもったいないないなあと思っちゃったのです（笑）。

しかし、今はそう思いません。

この「１００％得する話し方」を公開することが、多くの読者のみなさんを幸せにし、巡り巡って私のところに返ってくることを、私が一番知っているからです。

愛の反対は無関心
無関心の反対が愛

マザー・テレサの言葉です。

あなたのそのうなずきが、その相槌が、その質問が、誰かを幸せにして、世界中に愛をもたらすとしたら、とっても素敵なことだと思いませんか。

ぜひ、本書を信じてご紹介したノウハウの数々を実践してみてください。

最後になりましたが、本書の執筆に協力いただいた佐藤友美さん、企画・編集に携わってくれたOCHI企画越智秀樹さん、美保さん、そして出版というまたとないチャンスをくださったすばる舎の上江洲安成編集長、まことにありがとうございます。厚く御礼申し上げます。

最後にもう一度言います。

本書をきっかけに、あなたと、あなたの周りの人が幸せでありますように。

そして、あなたに幸せにしてもらったたくさんの人が、さらに周りの人たちを幸せにしてくれますように。

ありがとうございました。

新井慶一

【著者紹介】

新井 慶一（あらい・よしかず）

心感動メンタルコーチ。笑う大人プロジェクト株式会社代表取締役。

神戸市出身。幼い頃から「口下手」「自己肯定感が低い」「あがり症」と、コミュニケーションの三重苦を持つ。そのため、学生時代から友人は少なく、社会人になってからも、人と会うのも話すのも苦痛、仕事に行くのも困難という状況のなか、20代をほぼニートやフリーターとして過ごす。30歳目前で一念発起し、サラリーマンとしてなんとか働くも、コミュニケーションが苦手な性格は変わらず、ストレスで倒れる。その後、コーチングの道に進み、試行錯誤の末、本書の【100%得する話し方】メソッドを生み出す。そのメソッドを使い、のべ8000人以上にコーチングを実施。その結果、全国にいるクライアントが続々と成果を残す。その口コミで多くの有名人からも支持されている。

「笑う大人が増え、子どもたちが希望を持つ国へ」というミッションを持ち、日々コミュニケーションの楽しさを普及している。本書がデビュー作。

100%得する話し方

2020年7月15日　第1刷発行

著　者――新井慶一

発行者――徳留慶太郎

発行所――株式会社すばる舎

〒170-0013　東京都豊島区東池袋3-9-7 東池袋織本ビル

TEL　03-3981-8651（代表）　03-3981-0767（営業部）

振替　00140-7-116563

http://www.subarusya.jp/

印　刷――中央精版印刷株式会社

落丁・乱丁本はお取り替えいたします

ISBN978-4-7991-0910-6